Y0-AFP-183

goethe
LAVALLE 528 y Sucursales
TEL. 322-0887 / 394-6123

Las Ballenas de la Patagonia

La preparación de este libro contó con el apoyo del
Plan Global de Mamíferos Marinos del
Programa de las Naciones Unidas
para el Medio Ambiente

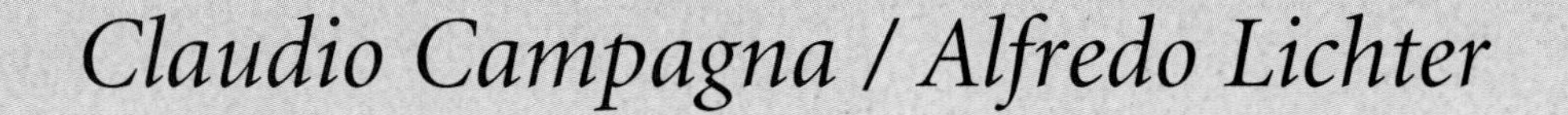

LAS BALLENAS DE LA PATAGONIA

ENSAYOS SOBRE LA BIOLOGÍA Y LA CONSERVACIÓN
DE LA BALLENA FRANCA AUSTRAL

Diseño de tapa e interior: *Eduardo Ruiz*

Primera edición
Impreso en Leograf & Compañía S.R.L.,
Armenia 253, Valentín Alsina, septiembre de 1996.

IMPRESO EN LA ARGENTINA / PRINTED IN ARGENTINA
Queda hecho el depósito que previene la ley 11.723
I.S.B.N.: 950-04-1648-4
201.355

Para Rita, que llegó a conocer a las ballenas, y a la memoria de Fernando, que nunca logró verlas.

C. C.

Para María Elina. Volvería a decir que sí.

A. L.

Juntos dedicamos este libro a Guillermo Harris, artista, conservacionista y amigo.

ÍNDICE

DOS

DEL BALLENICIDIO A LA BALLENOFILIA

TRES

ALGUNAS IDEAS PARA COMPARTIR
EL MUNDO CON LAS BALLENAS

CUATRO

APÉNDICE

Prólogo

Desde el balcón de mi departamento, en un quinto piso sobre el mar abierto, en el corazón de Puerto Madryn, casi puedo decir que participo del juego de las ballenas: una acaba de dar ¡dieciocho! medios saltos ininterrumpidos.

¿Juego? dirá el especialista. ¡Quién sabe! No conocemos casi nada acerca del comportamiento de estos gigantes, tan cercanos, tan ajenos. Como los bebés humanos... Cercanos en en el espacio, porque los vemos a pocos metros de distancia, pero además afines en las esencias, diré, como extraños, hasta hostiles, resultan para nosotros los tiburones o las tortugas marinas. A fuer de mamíferos, parece incluso que nos comprendieran y consintieran, con compasiva tolerancia, los abusos de confianza de las embarcaciones que, con su carga de seres humanos, llegan hasta ellas una y otra vez.

Mamíferos ambos. Unos terrestres, erectos y pensantes. Los otros acuáticos, ¡sin piernas! y... ¿no pensantes? ¡Cuidado!, otra vez. Tal vez no piensan a nuestro modo, pero por algo será que nos temen.

Y en cambio nosotros, *Homo sapiens*... Se aterrará el lector cuando vea, en este libro, lo que se ha hecho y hace con las ballenas. ¿Cómo conciliar esa barbarie con los sentimientos que antes expuse? ¿Cuántas humanidades conviven en nosotros?

Un mito tehuelche identifica a la ballena gigante, Gosgue, comedor de hombres. Elal, el héroe divino, transformado en tábano, logra ingresar en su estómago presuntamente inmenso y, tras darle muerte, rescatar a algunos de sus paisanos todavía alentados. Jonás en la Patagonia, ciertamente.

Y este es el sentimiento que domina en el espíritu de los autores de este libro singular. Humildes ante lo desconocido, como deben ser los verdaderos científicos y por ende partícipes de la sacralidad de la naturaleza. Seres humanos, pensantes, y sobre eso científicos, sí, pero comprometidos con ella, con almas de poetas y artistas.

Asombrados, como usted y yo lector. Y como nosotros, respetuosos del entorno de los seres del entorno y, al propio tiempo, de los Hombres. A los que, en definitiva, va destinado este pedido de sensibilidad en ropaje erudito.

Porque el futuro de la Humanidad depende, cada día más, de lo que ésta decida hacer por salvar al Mundo. En nombre de ella, Claudio Campagna, Alfredo Lichter, los saluda... reconocidamente, un patagónico.

Rodolfo Casamiquela
Investigador Principal del CONICET
Centro Nacional Patagónico

Prefacios

Redimiendo ballenas

Mi motivación como coautor de este libro se fundamenta en sentimientos encontrados. Por un lado, se encuentra mi expresa admiración por un animal que representa para mí seguramente más de lo que, objetivamente, puede significar para la biodiversidad del planeta. Por otro, me mueve la indignación por la insensibilidad que algunas personas muestran frente a lo esencial y lo apremiante en nuestro mundo inmediato.

En su imponencia y vulnerabilidad, la ballena franca es una alegoría de la amenaza a la naturaleza prístina y es, además, el emblema de muchos patagónicos que adoptamos a esta tierra de mitos como casa para siempre. Las representaciones de las ballenas están en todas partes, como fotografías enmarcadas en las oficinas de los gobernantes, pintadas en las paredes de pueblos perdidos, dibujadas en las cartulinas de los jardines de infantes. Están en los libros de los científicos y en las memorias de un domingo de invierno pasado frente al mar. Pero no siempre estuvieron en nuestros corazones. En una modalidad del exceso, reminiscente de la historia de la Cándida Eréndira de García Márquez, algunos hombres desalmados han abusado de la ballena franca. Este libro no puede redimir a la Cándida pero intenta socorrerla contribuyendo a abrir el único sendero posible para que prospere la sensibilidad: el de la educación.

Yo escribo para intentar transmitir sensaciones que alguna vez tuve el placer de descubrir. Escribo con esperanza, porque no puedo abandonar lo que una ballena franca despertó en mí una tarde de agosto de 1975 cuando, asomado a un acantilado del golfo San José, fui cautivado por la fascinación de lo imposible.

Claudio Campagna

El vecindario asombroso

Mientras los años 70 se movían con la lentitud de una tortuga, yo pasaba parte de mi tiempo soñando con las planicies africanas. Elefantes y rinocerontes formaban parte del universo que uno deseaba conocer algún día pero que las películas sobre cazadores blancos, Tarzán, o los libros de la biblioteca familiar mostraban lejano. Y como uno tiende a dejarse impresionar por las cosas distantes, en mi escala de preferencias hipopótamos y búfalos aplastaban sin piedad a los benteveos, mulitas y lechuzas que poblaban el vecindario.

Pero las cosas comenzaron a cambiar cuando descubrí un ejemplar del *National Geographic* que trataba sobre la Península Valdés y, en especial, sobre uno de los visitantes de sus costas: la ballena franca austral.

Antes y después. Los artículos escritos por William Conway y Roger Payne fueron mi puerta de entrada hacia ballenas y elefantes marinos, los acantilados, la estepa y cada uno de los exponentes que forman parte de la naturaleza que, como una bendición, le ha tocado en suerte a esa zona de la Argentina.

Por aquellas épocas comencé a memorizar algunos nombres que, mágicamente, desataban un mundo extraordinario: Campamento 39, riacho San José, caleta Valdés, punta Conos.

Allí, donde el pasado se confunde con la vida diaria, las ballenas francas australes viven parte de su existencia. A ese mar vuelvo cada año a verlas nadar, ocultando en el viento sus soplidos, mientras mi espíritu, desde una playa cortada por el frío del invierno, les agradece por la inspiración interminable.

Alfredo Lichter

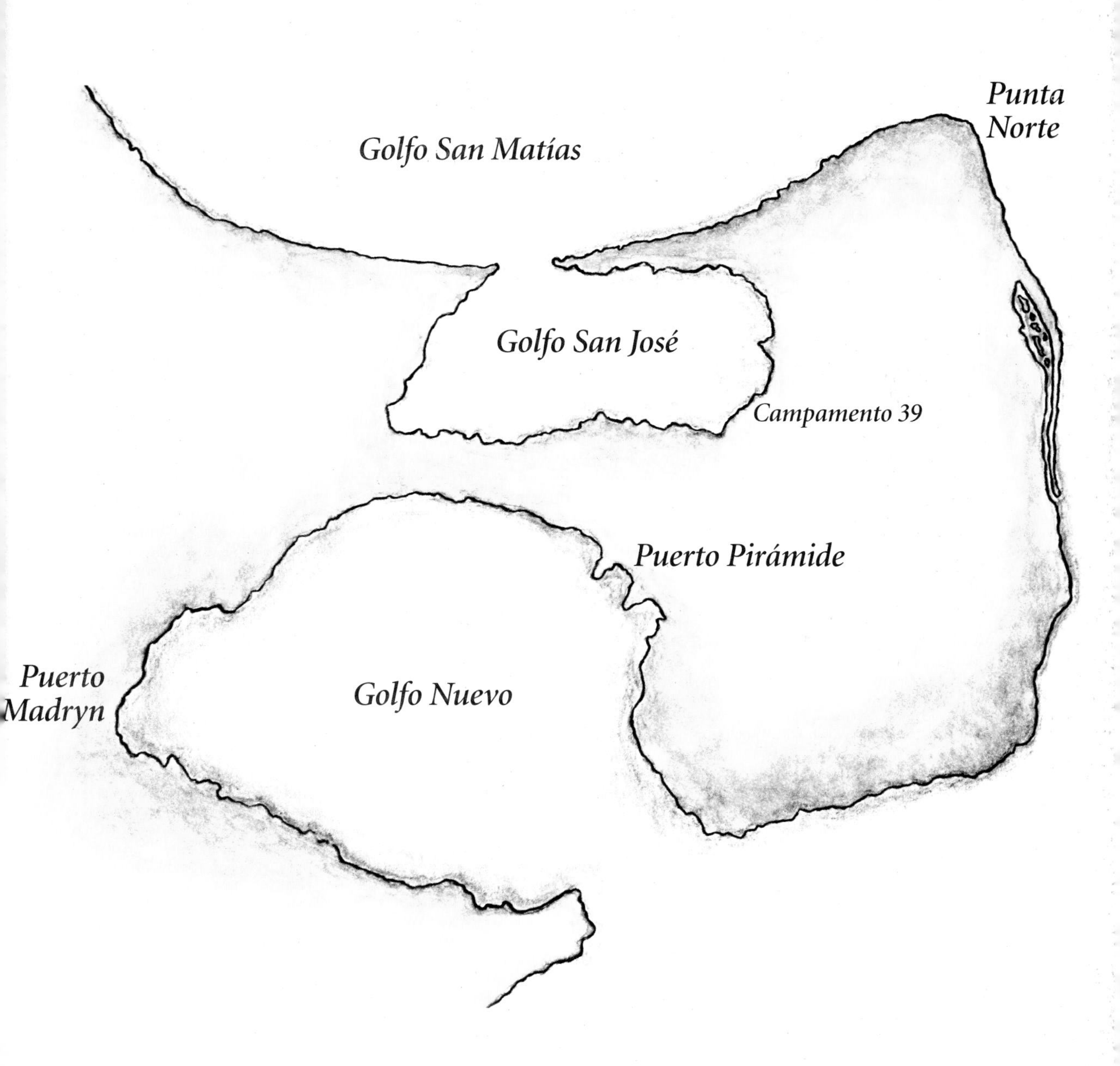
Punta
Norte
Golfo San Matías
Golfo San José
Campamento 39
Puerto Pirámide
Puerto
Madryn
Golfo Nuevo

Introducción

Las ballenas francas

Presas de los arpones de medio mundo, las ballenas francas llegaron a ser raras en los mares de todas partes. Es por fortuna, más que por los miramientos de las generaciones pasadas, que estos animales aún existan.

Por suerte, en estos días, los botes que se les acercan transportan a los admiradores de ballenas vivas. Ellas dan su espectáculo y muchos lo atesoran entre sus experiencias más cautivantes. Las ballenas no cambiaron. Pero hoy hay más personas preparadas para disfrutarlas.

Patagonia

Sólo si la gente comprara el viento la Patagonia dejaría de ser un lugar desolado. Pero si no lo fuera, perdería parte del encanto que atrapa al que se atreve a mirar su cielo. ¿Qué vieron en ella los temerarios navegantes que, al tratar de descifrarla y controlar con nombres su geografía, la identificaron en sus mapas como el Fin del Mundo? ¿Qué vió en ella Darwin, cuando ya anciano la recordaba aún sin poder explicar cómo un lugar que lo había impactado por su naturaleza inhóspita y mezquina, volvía a su mente con más fuerza que los arrecifes de coral o que la exuberante selva amazónica? ¿Qué le vemos aquellos que vivimos en ella o viajamos por sus caminos pudiendo elegir otros continentes y otros rumbos?

Hay quienes dicen que son los horizontes infinitos. Otros prefieren acusar al desierto. Muchos lo atribuyen al mar. El poeta no se equivocaba: "Dicen que el mar es frío, pero contiene la más caliente de las sangres, la más impetuosa y apremiante" (*Las Ballenas no lloran,* H. Lawrence).

Península Valdés

Una caminata por sus playas tiene la predecible capacidad de desorientarnos en el tiempo. El sentido común nos dice que estamos en las postrimerías del siglo XX. Los ojos, impactados por los restos de animales fósiles de hace 15 millones de años, no pueden confirmarlo.

Hasta ella llegan peregrinos buscando la soledad y la amplitud que hoy es difícil encontrar en casi cualquier parte. Son decenas de miles los que viven, aunque sea en un instante, los apostaderos de lobos y elefantes marinos, confundiendo unos por otros, en una experiencia que deja su marca a veces en lápiz pero casi siempre en tinta.

Las personas

Digámoslo claramente: quienes escribimos estas páginas no tenemos pretensiones de ser autoridades intelectuales en temas de ballenas. Pero las ballenas inspiran nuestra sensibilidad más que cualquier otra manifestación de la naturaleza. Por otra parte, las necesidades de la conservación no pueden cargarse sólo en las espaldas de los eruditos.

Es así que nos decidimos a escribir este libro con estilo deliberadamente personal. No nos esforzamos por ser asépticos ni desapasionados. Tampoco nos mantuvimos estrictamente en la temática de la ballena franca ni en un estilo científico. Este libro no es sólo sobre la biología de la ballena franca, es también un libro sobre la conservación de la naturaleza.

¿Por qué este libro?

Porque preferimos que la Patagonia siga siendo sinónimo de fin del mundo y no de paraíso perdido. Porque, para nosotros, las ballenas son un símbolo de lo demasiado valioso, de aquello que no puede perderse.

Para comprender los lazos que nos unen

a todos los seres vivos y juzgar mejor el milagro

de nuestra propia vida, dejad romper

sobre vosotros la primera ola del mar.

JACQUES-YVES COUSTEAU

UNO

HECHOS Y CONJETURAS SOBRE BALLENAS FRANCAS

Las aguas viajan junto al continente por cientos de kilómetros mientras accidentes geográficos y algunos pueblos van dando sus nombres a la costa patagónica. De vez en cuando, las playas y el mar próximo se ven sorprendidos por colonias de aves y grupos de elefantes y lobos marinos que ponen el acento de la vida en los paisajes desérticos. ¿Dónde están las ballenas francas australes? Son tan pocas que, si queremos encontrarlas, debemos prepararnos para lo improbable: descubrir un fantasma.

El Fin del Siglo y las Ballenas

En compañía de las ballenas

Aproximadamente 100 especies representan hoy a los mamíferos que habitan los océanos del mundo. Ballenas, delfines, focas, lobos marinos, osos polares y nutrias son parte del legado de miles de millones de años transcurridos desde que la vida se inició como fenómeno natural.

La mayoría de las especies que alguna vez existieron integran la historia de las extinciones. Tal vez el 99,9 % de lo que hoy existe será, en algún momento y con optimismo, substituido por prototipos impredecibles acaso más próximos a las criaturas de Tolkien que a los animales actuales. Pero distantes del pasado e ignorantes del futuro, los humanos sólo sabemos que esas 100 especies de mamíferos marinos comparten con nosotros, y con algunos centenares de miles de especies más, este espacio y este tiempo. Con ellas estamos embarcados en un viaje al que nos sumamos cuando ya había comenzado.

Por su comportamiento, la ballena franca austral es una de las especies que más podríamos disfrutar para sentirnos acompañados. Pero hoy estas ballenas son tan pocas que parecen estar más cerca de abandonarnos que de seguir adelante. Si se extinguieran, el problema no las afectaría sólo a ellas. Nosotros perderíamos una oportunidad de encontrar algunas respuestas sobre ese viaje cuyo origen se sumerge en la bruma de un pasado remoto y cuyo fin nos está vedado entender.

Sobre latitudes y longitudes

Hacia fines del 1600 las ballenas francas australes ocupaban los océanos de casi medio mundo. Los navegantes que llegaban hasta la isla de Tristán da Cunha, en medio del Atlántico Sur, describían en sus bitácoras espectáculos que hoy sólo podemos imaginar: "El mar estaba cubierto de ballenas y lobos de mar nadando muy cerca de la costa, jugando con el agua. Algunas se llevaban por delante a nuestra embarcación". A principios del 1800 aún quedaban suficientes ballenas francas como para que los navegantes del hemisferio sur las avistaran entre los 20° y los 60° de latitud, donde las aguas de los océanos Atlántico, Pacífico e Índico se mezclan con los mares antárticos. Hoy, a un paso del vigésimo primer siglo del calendario cristiano, el lugar de esta especie en el planeta viviente no se encuentra asegurado.

El planisferio de las ballenas francas sigue siendo amplio, pero los mismos mares que las vieron en sus momentos de auge ya casi no las albergan. Para ubicarlas tenemos hoy que buscar en lugares contados con los dedos y limitarnos a una mano. Se estima que existen poco más de 2.500 individuos repartidos entre África del Sur, Tristán da Cunha y la franja costera que incluye a la Patagonia y se extiende desde el sur de Brasil hasta Tierra del Fuego. Algunos centenares de animales visitan Australia y Nueva Zelanda. Y en las costas chilenas, las ballenas francas son ahora tan raras como abundante fue otrora su captura.

Nadie jamás podrá saber cuantas ballenas francas existieron en el hemisferio sur ni antes ni después de la caza comercial. Los expertos suponen que 100.000 podría ser un número razonable. Hoy se estima que aproximadamente 4.000 es todo lo que queda de esta especie. Entre un número de cinco ceros y otro con sólo tres pasaron menos de dos siglos. Así se afectó a una especie cuyos primeros ancestros se remontan a 50 millones de años, cuando aún faltaban 48 millones para que Lucy diera sus primeros pasos culminantes con el triunfo de *Homo*.

¿Qué predicciones podemos hacer con respecto a estas ballenas para el siglo XXI? Algunos indicios de recuperación permiten adoptar una actitud optimista. Hacia fines de 1980, la población del Atlántico Sur, que se reproduce frente a las costas de Patagonia y Sudáfrica, estaba aumentando a una tasa de alrededor del 7 % anual. Si la misma tendencia continúa, en algunas décadas las ballenas francas podrían volver a ser abundantes. ¿De qué depende que así sea?

Con estar presente no alcanza

Desde la perspectiva de la biología evolutiva, la clave del éxito para formar parte del mundo viviente es dejar descendencia. Se estima que la capacidad de recuperación de las ballenas que visitan las costas patagónicas depende de aproximadamente 300 hembras en edad reproductiva que tienen la capacidad de parir sólo una cría por vez y cada dos o más años. Para participar en la reproducción estas hembras deberán primero llegar al lugar preciso en el momento exacto.

Los lugares donde la ballena franca se reproduce se restringen hoy a una decena de puntos dispersos en el mundo. Uno de los más importantes se encuentra en la costa sudafricana, alrededor de Cabo Infanta, donde se observaron hasta 60 grupos madre-cría. Otras costas elegidas son las que bordean la Península Valdés. Cada abril, la superficie monótona de aguas claras de los golfos Nuevo y San José, y las costas de la península que dan al mar abierto, se reaniman con el espectáculo de la llegada de las primeras ballenas. El lugar se puebla lentamente de madres interesadas en sus crías, crías interesadas en amamantarse y machos interesados en las futuras madres. Hembras cautelosas y ballenatos dependientes dominan el paisaje.

Si la reproducción fue exitosa, un aumento de la población depende de que gran parte de los ballenatos que nacen cada año sobrevivan hasta la madurez sexual. El período comprendido entre el primer amamantamiento y la independencia alimentaria representa una de las etapas más vulnerables de la vida de un ballenato. Durante el primer año de vida, su dependencia de la madre es casi absoluta. Pocos meses después del parto, madre y cría viajan juntas a las áreas de alimentación localizadas en algún lugar del mar abierto que aún nadie sabe bien cuál es. La cría madura con lentitud. Se necesita que transcurra cerca de una década para que un ballenato esté en condiciones de formar parte de la actividad reproductiva que dará continuidad a sus genes. Para lograrlo tiene que sobrevivir a sus predadores naturales, a los arpones de balleneros piratas, a enfermedades y accidentes. Si lo logra, es posible que vuelva entonces a las costas alguna vez visitadas por sus ancestros.

¿Dónde van a estar las ballenas?

Con el crecimiento de las poblaciones, se espera que ocurran cambios en la distribución mundial y local de las ballenas francas. Es posible que algunas áreas geográficas donde históricamente solía haber ballenas sean recolonizadas. Pero antes se observarán modificaciones regionales en la distribución.

Las ballenas tienden a variar sus preferencias con respecto a los lugares donde se reproducen. A fines de los 70, por ejemplo, la mayor parte de las madres con cría se concentraban en el golfo San José o en las cercanías de punta Norte. Hoy es más raro ver ballenas en aquellas playas de la península que enfrentan al mar abierto, encontrándose más madres con cría en el golfo Nuevo que en el San José. Durante los 80 y principios de los 90, la mayoría de las crías del golfo Nuevo se observaban en las cercanías de Puerto Pirámide, especialmente frente a las costas de playa La Adela. Pero en 1994 y 1995, las ballenas parecieron preferir otros lugares localizados más cerca de Puerto Madryn que de Puerto Pirámide.

Los cambios en la distribución observados en la Patagonia no son excepcionales. Existen registros similares para las ballenas francas que se reproducen en las costas sudafricanas y también para otras especies de ballenas de hábitos costeros. Estos comportamientos no se restringen a las áreas reproductivas sino que además se aplican a las de alimentación.

Las causas subyacentes a los cambios locales en la distribución no quedan claras. Se sugirió que la navegación podría ser un factor de disturbio que las ballenas tenderían a evitar. Se pensó en el impacto de la actividad de avistaje con fines turísticos. Pero también se adjudicó a cambios concomitantes en la distribución del alimento. Hoy estamos lejos de poder elucidar las motivaciones que impulsan las decisiones de las ballenas.

Cualesquiera que sean las razones, es posible que, durante las próximas décadas, algunos lugares hoy desolados de la costa patagónica terminen siendo justamente los que prefieren las ballenas. El golfo San Matías es un candidato de elección como futura área de reproducción. Durante la temporada de 1994, ya se observaron más de 30 ballenas en este golfo y por lo menos dos de ellas eran madres con cría. El comportamiento de las ballenas nos obliga así a tener una visión dinámica de las áreas protegidas necesarias para asegurar el futuro de la especie.

Censo de ballenas

Si queremos saber dónde estamos parados y hacia dónde nos dirigimos con respecto a la conservación de las ballenas, necesitamos tener información biológica a largo plazo. Para determinar si una población aumenta o si su distribución geográfica está expandiéndose local o globalmente tenemos que investigar.

Pero contar ballenas es complejo. Si nos interesara saber el número de ovejas, cormoranes o seres humanos que habitan en la Patagonia nos estaríamos enfrentando a un problema abordable con cierta facilidad. A las ovejas se las esquila una vez por año, oportunidad para contarlas con exactitud. Los cormoranes se reproducen en colonias que pueden fotografiarse desde un avión y sus nidos contarse claramente, casi como si fueran ovejas. Los seres humanos llenamos planillas de censos y obtenemos certificados de nacimiento y documentos de identidad. Las ballenas no se prestan a ninguno de los procedimientos anteriores.

Aunque su rango de distribución geográfica se encuentre hoy restringido con respecto al pasado, las ballenas francas siguen estando lo suficientemente dispersas en los océanos como para desilusionar al más interesado por saber cuántas quedan. Para llegar a la estimación mundial actual de sus poblaciones se necesitó el trabajo de muchos curiosos que no se desalentaron por la adversidad. Algunos sobrevolaron a baja altura los lugares costeros de reproducción más importantes, fotografiando cada animal que encontraban. Otros aplicaron complejas fórmulas matemáticas a los datos que los primeros obtuvieron del mundo real.

El esfuerzo invertido para llegar a estimar que existen 4.000 ballenas francas australes es indiscutible, el dato en sí mismo es sólo una esperanza bien educada. El trabajo metódico y persistente permitirá mejorar las evaluaciones hasta llegar a datos que satisfagan la curiosidad y las exigencias del investigador. En la responsabilidad del que cuenta se basa una buena parte del futuro, no sólo de las ballenas francas, sino de la diversidad de otras formas vivas.

Desde la óptica de la ballena franca austral, el fin del siglo XX se asocia a perspectivas más optimistas para la continuidad de la especie de las que existían 100 años atrás. Mientras se abre una oportunidad para la ballena franca del hemisferio sur, las opciones de supervivencia se están cerrando para la especie del hemisferio norte. Cada vez son menos (300 individuos) y no existen signos de recuperación. El siglo XXI parecería ser el fin del tiempo para las ballenas francas en los mares al norte del ecuador.

Las líneas que unen a las especies parecen caprichosas y a veces absurdas. ¿Qué más podemos pensar cuando nos dicen que las ballenas están emparentadas con los camellos y no con los atunes? Todo un desafío para el sentido común.

¿Quién se Tragó a Jonás?

¿Cómo se distingue una ballena de un pez? La confusión entre peces y ballenas tiene orígenes remotos. En el libro de Jonás se alude a un gran pez que primero se traga al profeta y luego lo vomita en la costa. Pero cuando Mateo hace referencia al mismo episodio, deja en claro que Jonás había padecido su castigo de tres días y tres noches en el vientre de una ballena, no de un pez.

Aristóteles ya había reconocido en las ballenas características de los mamíferos. Pero a pesar del veredicto de la autoridad intelectual, aún varios siglos después del diagnóstico el común de la gente sigue refiriéndose a las ballenas como peces. En términos modernos diríamos que el sabio no supo transferir a la comunidad la verdadera identidad de las ballenas. Algunos bestiarios del siglo XVI muestran grabados de ballenas con cola y aletas de pez, dientes de jabalí y garras de león.

Fue el naturalista sueco Linneo quien, a mediados del 1700, mostró inequívocamente que las ballenas y los delfines son mamíferos: tienen un esqueleto en el que se pueden encontrar prácticamente todos los huesos de cualquier mamífero, respiran aire atmosférico, gestan su cría en el útero y la amamantan. Georges Dagobert, barón de Cuvier (1769-1832), uno de los estudiosos de la anatomía comparada más destacados de la historia de las Ciencias Naturales, definió a la ballena de una manera sencilla que no dejaba lugar a controversias: "la ballena es un animal mamífero sin patas traseras".

Aunque aún hoy a algunos les pueda parecer absurdo, los cetáceos son parientes más cercanos a nuestra especie que a los peces. Hay que admitir que el cuerpo de una ballena no tiene la forma que típicamente asociamos con la de un mamífero. Tal como había notado el barón de Cuvier, las ballenas carecen, por ejemplo, de miembros posteriores visibles. La cola de las ballenas no es el equivalente anatómico de las patas traseras de los mamíferos terrestres. De hecho, la cola no tiene sostén óseo. Las proporciones de una ballena son extrañas cuando se las compara con las de un mamífero terrestre. En la ballena franca, por ejemplo, la cabeza mide casi la tercera parte del largo total del animal. La mayor parte de la cabeza está ocupada por la boca. Los ojos son pequeños y se encuentran en los costados de la cabeza. La nariz, compuesta por los espiráculos, se ubica en la parte superior de la cabeza, de manera que la ballena puede respirar sin emerger demasiado.

La histórica confusión sobre la identidad zoológica de las ballenas tiene aún un fuerte arraigo en nuestros prejuicios. De acuerdo con una representación tergiversada de la Zoología, los balleneros de este siglo siguieron refiriéndose a su actividad como una forma de pesquería. Es posible que muchos hayan atribuido a los mamíferos marinos cualidades que corresponden a la historia natural de los peces y que, por asociación errónea con enormes cardúmenes, hayan llegado a creer que las ballenas eran casi infinitas.

¿Cómo distinguir ballenas de delfines? En la mayor parte de los casos, el tamaño del animal alcanza para su correcta categorización. Pero el tamaño de algunas ballenas no es dato suficiente para una identificación fehaciente entre un misticeto (ballenas con barbas) y un odontoceto (cetáceos con dientes). Por ejemplo, la ballena franca pigmea es un misticeto más pequeño que una orca, típico representante de los odontocetos. Se necesita acudir a otros aspectos de la anatomía para diferenciar entre estos dos grandes grupos de cetáceos. La clave pasa por los dientes y la regla es simple: todo cetáceo sin dientes es una ballena. Los misticetos filtran el alimento con estructuras llamadas barbas y luego se lo tragan entero.

Las barbas son placas córneas que sirven como estructuras filtrantes del alimento ubicadas en el interior de la boca. Una de las transformaciones más interesantes en el proceso evolutivo que condujo a las ballenas actuales es el reemplazo de dientes por barbas. Los primeros mamíferos marinos, hoy ya desaparecidos, mantenían dientes que por su forma se diferenciaban en incisivos, premolares y molares. Algunas especies más modernas, también desaparecidas, tuvieron una dentadura formada por dientes iguales, como los odontocetos actuales. Pero en algunos grupos de mamíferos marinos aparecieron estructuras totalmente novedosas. Comenzaron como expansiones de los pliegues del paladar y terminaron en las placas córneas de borde deshilachado que llamamos barbas. Algunas especies mantuvieron los dientes y las barbas. Las ballenas actuales aún tienen dientes en su etapa embrionaria, evidencia que sugiere un origen común de todos los cetáceos.

En contraste con los misticetos, todos los delfines tienen dientes desde su nacimiento, y los conservan durante toda la vida. La mayoría de los cetáceos actuales, 68 de 79 especies, son odontocetos e incluyen a delfines, cachalotes, narvales y belugas. Comparativamente, sólo existen 11 especies de misticetos o ballenas propiamente dichas.

¿Cómo distinguir a una ballena franca austral de otras ballenas? La ballena franca austral, como sus parientes cercanos, la franca boreal y la ballena de Groenlandia, carecen de aleta dorsal. Esta característica distingue a este grupo (balénidos) de aquel al cual pertenecen la ballena azul y otros rorcuales (balenópteros). Otro aspecto inconfundible

de las ballenas francas es su soplo en forma de "V". Una espiración puede verse a simple vista a varios kilómetros de distancia, ventaja que aprovechaban los balleneros para ubicar a sus víctimas. Las francas se identifican además por las zonas de piel engrosada, denominadas callosidades, distribuidas alrededor de los ojos, boca, narinas y región frontal del rostro. A diferencia de la ballena azul y de otros rorcuales que se alimentan dando bocanadas de agua, las francas no tienen pliegues ventrales y obtienen el alimento avanzando en el agua con la boca abierta, mientras filtran alimento a través de las barbas. La característica que hizo de las ballenas francas la presa favorita de los balleneros, y a la que deben su nombre, es que flotan al morir, mientras los rorcuales se hunden. Al flotar, las ballenas francas facilitaban el faenamiento con los simples elementos con que contaban los primeros balleneros. Es por eso que se las pudo cazar cuando la industria ballenera aún no conocía el poder de la tecnología aplicado al exterminio. El nombre de francas, del inglés *right,* se debe entonces a que son las ballenas "correctas" para la caza: se mueven despacio, viven parte de su vida en aguas costeras poco profundas y flotan una vez muertas: una receta perfecta para la extinción.

¿Cómo distinguir una ballena franca austral de una ballena franca boreal? No existen diferencias claras entre estas especies que puedan utilizarse como diagnósticas para diferenciarlas. Sin embargo, el observador de ballenas que visita la Patagonia no corre el riesgo de confundirlas dado que ambas se encuentran en hemisferios diferentes, separadas hoy por una barrera natural de miles de kilómetros de océano. Dicha barrera, asociada a diferencias estacionales, impediría que una ballena franca del hemisferio sur se reprodujera con una del hemisferio norte. La separación entre las poblaciones data de por lo menos dos millones de años.

Además de la ballena franca austral y boreal, otra especie de ballena recibe la denominación de franca. La ballena franca pigmea es un animal raro, mucho más pequeño que los anteriores, que tiene un cierto parecido a un rorcual más que a una ballena franca típica. Este animal parece ser tan especial que se lo clasifica en una familia diferente a la de los rorcuales y a la de las francas propiamente dichas. La ballena de Groenlandia pertenece a la misma familia que las francas australes y boreales pero vive sólo en el Océano Ártico. No es posible entonces confundirla con una ballena franca de la Patagonia.

Recapitulando, las ballenas francas son mamíferos marinos que no tienen dientes, respiran aire, paren a sus crías como cualquier otro mamífero y las amamantan debajo del agua. La lista de características no se agota aquí. Pero de algo estamos seguros: las ballenas no son peces ni tampoco horribles monstruos comedores de seres humanos.

A pesar de las diferencias entre especies, una afirmación universalmente cierta es que una ballena no podría comerse a una persona. Jonás debe de haber tenido un encuentro desafortunado con algún ser mitológico con adaptaciones anatómicas y disposición para tragarse a un hombre. Porque la boca de una ballena podrá ser gigante, pero por su garganta no pasaría la cabeza de Jonás.

Una especie presente en el camino de la vida sugiere la senda del éxito en la lucha por permanecer. Lucha regida por una unidad de tiempo que nos cuesta entender, que está más emparentada con las estrellas y su lejanía que con los relojes de nuestra biología.

Una Historia en Dos Tiempos

Los tiempos de la geología

La arena de las playas o los bordes irregulares de los pantanos de hace 55 millones de años deben de haber sido testigos de la existencia de animales del tamaño de un perro pequeño, sumergiendo la cabeza en el agua tibia de la costa, buscando un pez con que matar el hambre. Los humanos no estábamos allí para atestiguarlo. Pero la historia quedó escrita en acantilados, lechos de mares secos y lagunas que ya no existen. Hasta allí nos conduce una de las más admirables propiedades de nuestro intelecto, la curiosidad, para que interroguemos a la naturaleza desenterrando fósiles desde las alturas del Himalaya hasta la soledad congelada de la Antártida. Y la naturaleza nos responde sólo a medias, generando intriga en torno al origen de los animales que hoy llamamos ballenas.

En una historia de inseguridades, en la que el tiempo se mide en millones de años, sabemos que los ancestros de las ballenas vivían en tierra firme, eran cuadrúpedos y no nadaban mejor que cualquier otra bestia que entra al agua sólo hasta que se le moja el rabo. Pero con el paso de los milenios ocurrieron cosas interesantes. Las patas traseras desaparecieron, las delanteras se ensancharon como remos, el pelo se fue perdiendo y el cráneo se alargó. Esta metamorfosis pausada ocurrió en el transcurso de generaciones que involucraron a muchos individuos. Pronto ya no fue fácil identificar, en sus descendientes, al cuadrúpedo de natación torpe que alguna vez había calmado el hambre con más suerte que habilidad. Y la modificación de los cuerpos fue acompañada por un cambio en las características del planeta entero.

La Antártida, América del Sur y Australia estuvieron alguna vez unidas en un megacontinente llamado Gondwana. Pero en este planeta de inestabilidades hasta lo que parece inamovible está sujeto al cambio. Así Gondwana se fue partiendo y el mar fue invadiendo espacios que antes ocupaban continentes. Surgieron nuevos océanos y cambiaron las direcciones de las corrientes marinas. Se alteró el clima, las aguas cubrieron praderas y bosques y los fondos, que alguna vez estuvieron sumergidos a profundidades abisales, quedaron descubiertos. Estos cambios tuvieron consecuencias desastrosas para algunas manifestaciones de la vida: muchas especies terminaron formando parte sólo de la historia. Pero algunas de las que se beneficiaron aún la están escribiendo. Y entre los exitosos se encontraron los ancestros de las ballenas.

El éxito de los mamíferos que volvieron al agua se debe posiblemente a que tenían fácil acceso a estuarios salobres donde abundaba el alimento. Cuando nuestra ballena ancestral buscaba peces sumergiendo la cabeza en el agua, los mamíferos dominaban la tierra desde hacía 15 millones de años; pero el mar aún dominaba a los mamíferos. Esta última situación no duró demasiado. Así lo dicen los restos de un primitivo animal que ocuparía el privilegiado lugar de ser uno de los más antiguos ancestros conocidos de los actuales cetáceos. Su nombre: *Pakicetus inachus.*

Pakicetus es el más arcaico de los cetáceos fósiles conocidos hasta el momento. Vivió hace 52 millones de años en las costas de un mar primitivo que hoy forma el suelo de Pakistán. Los huesos de este predecesor de las ballenas y los delfines se encuentran hoy en lugares rodeados por las cumbres más altas de la tierra y a 500 km de la costa más cercana; una patética evidencia de los enormes cambios geológicos ocurridos desde que *Pakicetus* formaba parte del presente. Los restos fósiles de estos primitivos mamíferos marinos muestran aún la estructura típica de los animales terrestres. Es posible incluso que tuviera una vida anfibia. Pero en el cráneo de *Pakicetus* se lee claramente que el animal tenía una capacidad que lo diferenciaba de la mayoría de sus parientes terrestres: podía oír bien debajo del agua. Esa habilidad es una característica crucial agudizada en los cetáceos actuales. Con *Pakicetus* el rumbo ya estaba encaminado.

De Pakistán, la historia de los linajes evolutivos nos lleva hasta Louisiana, en América del Norte. En 1832 se desenterraron 28 vértebras que se atribuyeron a un enorme reptil de forma de serpiente que había

Basilosaurus

existido 40 millones de años antes. Se lo llamó *Basilosaurus*, que significa el rey de los lagartos. Pero *Basilosaurus* resultó no ser un reptil sino un mamífero de cuerpo hidrodinámico, dientes afilados y 20 metros de largo. Ese animal espectacular, de 5 toneladas de peso, vivía probablemente en aguas costeras y cálidas, donde se alimentaba de peces e invertebrados marinos que atrapaba con movimientos serpenteantes como los de algunos reptiles. ¡Si alguna vez hubieran existido monstruos en el mar se habrían parecido a *Basilosaurus*!

Pakicetus y *Basilosaurus*, como otros muchos cetáceos primitivos, fueron caminos fallidos que terminaron en la extinción. El *Basilosaurus* estaba estructuralmente demasiado especializado como para ser un buen ancestro de los cetáceos actuales. Aún debían transcurrir algunos millones de años para el surgimiento de las especies que llevan directamente a las ballenas actuales. Los continentes seguían separándose. La Antártida se aislaba en un extremo del planeta y a su alrededor se creaba un océano frío que cambiaría el clima de una tierra que alguna vez había sido tropical. Las líneas evolutivas que iban a desembocar en los cetáceos actuales prosperaban en mares de abundancia con una enormidad de alternativas para la alimentación. La vida de estos mamíferos ya transcurría enteramente en el mar.

Lo sucedido entre *Pakicetus* y la actualidad se encuentra rodeado de mensajes truncos y misteriosos. Muchas otras especies deben de haber desfilado por el mundo sin dejar rastros. Pero lo cierto es que en los mares australes de 23 millones de años atrás habitaban ballenas primitivas. Algunas de ellas fueron ancestros de las ballenas francas actuales, cuyos restos fósiles son abundantes en rocas con una antigüedad de 10 millones de años. Hace aproximadamente 2 millones de años, las ballenas francas vivieron su cisma. Las que habitaban en el hemisferio sur quedaron separadas de las que vivían en el norte. La ballena franca austral, tal como existe hoy día, ya respiraba en los mares fríos de nuestro hemisferio cuando los humanos aún deambulábamos con dificultad por el camino que nos llevaría a tener la capacidad de destruirlas centenares de miles de años más tarde.

Los tiempos de la ecología

Para apreciar un paisaje de montaña en su justa dimensión no es aconsejable observarlo a través de una lupa. Pero la lupa es un buen aditamento para ver los detalles del color de las alas de una mariposa. De la misma manera, para imaginar cómo se diversificó la vida a partir de formas ancestrales no es aconsejable medir el tiempo con un cronómetro. Pero cuando se trata de determinar las relaciones actuales entre las especies y su medio, las horas, los días y los años representan las unidades apropiadas para medir el tiempo. Y de todos los hechos sucedidos durante los años que comparten las ballenas con otras especies actuales, uno de los más importantes es su historia reciente en relación con nuestra especie.

El período de esplendor de los cetáceos habría ocurrido 10 millones de años atrás, cuando la diversidad de especies era posiblemente mayor que en la actualidad. A partir de entonces, muchas ballenas se extinguieron. La historia que nos cuentan los paleontólogos indica que las ballenas ya estaban declinando en su diversidad específica cuando los primeros hombres se diferenciaban evolutivamente de sus ancestros no humanos. La extinción que siguió a la diversificación de las ballenas no es un fenómeno excepcional en la evolución de las especies. Por el contrario, el pasado geológico muestra una serie de períodos de abundancia asociados a extinciones que a veces han resultado en la desaparición de la mayor parte de las formas de vida existentes. Y en la mayoría de estos procesos el ser humano nada tuvo que ver. Sin embargo, aunque nuestra presencia en este mundo es reciente, desde el origen hemos tenido un efecto importante sobre el entorno. Y dicho efecto no siempre ha favorecido al resto de las formas de vida.

Entre ballenas francas y seres humanos transcurrió una historia de desentendimientos. Un escenario verosímil para describir esta relación pudo haber comenzado con una ballena muerta arrojada a la playa luego de una tormenta. Una aldea entera a orillas del mar, agradeció a sus dioses por la abundancia de alimento... y los dioses ganaron reputación gracias al azar. Pero las ballenas eran demasiado tentadoras como para beneficiarse de ellas sólo de vez en cuando. Los cazadores no necesitaron cavilar demasiado para darse cuenta de que podían matar a su presa casi sin mojarse los pies. Bastaba con herirlas y esperar. Si el animal se moría, tarde o temprano el mar hacía su trabajo y lo arrojaba a la costa. En fiesta pública, los cazadores se granjeaban la reputación de matadores de monstruos. Poco a poco le fueron tomando confianza a la idea y los más osados ya no esperaron a que las ballenas se acercaran a la costa.

Si la historia comenzó así o de mil y una maneras alternativas nadie puede ya decirlo. La captura de ballenas con fines de subsistencia, como la descripta, ocurre aún en algunas partes del mundo. Esta actividad posiblemente nunca hubiese puesto en peligro a las poblaciones de ballenas. Pero con la revolución industrial, la captura de subsistencia dejó de servir a las necesidades de una familia o una pequeña comunidad para convertirse en una industria destinada a abastecer masivamente a muchas poblaciones de productos derivados de las ballenas. Fue la caza con fines comerciales, efectuada especialmente durante este siglo, la que puso en peligro a las ballenas.

Pero los detalles son superfluos a la hora de concluir que la historia de las ballenas se escribe en dos actos. En tiempos que contamos con los dedos se puso en riesgo un acontecimiento de ocurrencia improbable que tardó tanto en desarrollarse que no llegamos ni siquiera a intuir la cantidad medida en años. Es posible que tarde o temprano las ballenas terminaran indefectiblemente extinguiéndose, completando el camino descendente que iniciaron hace 10 millones de años. Pero en ese proceso, algunos individuos de nuestra especie fueron y son responsables de acelerar los momentos del final.

Saber de quién estamos hablando, identificar individuos es, para el corazón, una satisfacción reciente. Reconocer año tras año a Liv, Dulce o Perdido acercándose a la playa. Casi como ver a un amigo caminar hacia nosotros desde el fondo del andén de una estación de tren.

Identidad

La metodología utilizada por los que estudian el comportamiento de los animales para identificar a un individuo de otro es tan variada como creativa. La cara de un chimpancé o de un gorila, el patrón de rayas de una cebra o el de manchas de una jirafa guardan tanta información útil para la identificación individual como los rasgos faciales en nuestra especie. Asistidos por cantidades de fotografías, los estudiosos del comportamiento comenzaron a entender aspectos inéditos de la estructura social de los animales en libertad.

Pero el beneficio que ofrece la identificación de individuos es casi tan importante como las dificultades prácticas para poder realizarla. Y los problemas aumentan cuando la especie que se estudia pasa toda la vida en un medio en el que siempre seremos visitantes. Es por eso que, cuando se logró reconocer individuos de la ballena franca austral a través de marcas naturales, se produjo un punto de inflexión en la forma de enfocar el estudio de la biología de los cetáceos.

Treinta años atrás, pocos pensaban en individualizar ballenas basándose en sus características físicas. Ya era suficientemente complicado distinguir las distintas especies de cetáceos como para pretender diferenciar individuos pertenecientes a una determinada especie. Los cetáceos son difíciles de ver debido a que pasan la mayor parte del tiempo debajo del agua. En consecuencia, los métodos para observarlos en forma detallada son complicados y limitados. El solo hecho de acercarse a un delfín o a una ballena requiere sensibilidad y tacto a tal punto que, hasta hace poco, casi todo lo que se sabía sobre la biología de las ballenas se había aprendido en los cuerpos sin vida de ballenas varadas o tendidas en las cubiertas de los barcos factoría. Pero las ballenas muertas nos dicen poco sobre su comportamiento.

Fue a principio de los 70 cuando el conocimiento de la historia natural de la ballena franca austral cambió de rumbo. Entonces se descubrió que estas ballenas podían individualizarse casi desde su nacimiento. Hoy se ha llegado a reconocer por lo menos 1.200 individuos que visitan o visitaron las costas de la Península Valdés. También se identificaron ballenas que pertenecen a las poblaciones que se reproducen en aguas sudafricanas y otras áreas del hemisferio sur.

La identificación se basa principalmente en las estructuras singulares del cuerpo de estos animales llamadas callosidades, placas de piel engrosada ubicadas a lo largo de la mandíbula y el labio inferior, sobre los ojos y en la parte superior y lateral de la cabeza. Los balleneros daban nombres especiales a algunas callosidades. Por ejemplo, llamaban "bonete" a las ubicadas en el extremo del rostro, por delante de los espiráculos. Las callosidades son de color blanco, pero sobre ellas se asientan pequeños parásitos (ciámidos), vulgarmente llamados piojos de ballena, que tienen diferente color según la especie y son la causa de las tonalidades blanco tiza, naranja o amarilla de algunas partes de la cabeza de estos cetáceos.

La razón por la cual las callosidades sirven a los fines de identificar animales se debe a que su distribución y forma permanecen constantes durante la vida de un individuo pero varían entre los individuos. Mediante fotografías de las ballenas tomadas desde un avión a baja altura, cuando el animal emerge para respirar o nada en superficie, se organizó un archivo equivalente a un registro de identificación de personas. Este sistema de reconocimiento sobre la base de marcas naturales es casi infalible. Es improbable que existan dos animales con las mismas marcas, y se ha comprobado que algunas ballenas han mantenido constantes sus características identificatorias durante más de 20 años.

Saber quién es quién entre las ballenas permite conocer aspectos de su vida fundamentales para la conservación. Puede saberse cuál es el tamaño de una población, cada cuantos años paren las hembras y cuál es la edad de primera reproducción en ambos sexos. También puede deter-

minarse qué relación existe entre las diversas áreas geográficas donde hoy se reproducen las ballenas francas, a través de la comparación de catálogos de individuos.

Una de las mayores satisfacciones de quien estudia a las ballenas es acercarse a un acantilado con un telescopio, enfocar a un animal y descubrir, luego de algunas horas de paciente observación, a aquel ballenato nacido en la temporada de 1975 y que hoy llega a reproducirse a los mismos golfos que alguna vez visitó su madre. Vistas como individuos las ballenas adquieren una dimensión especial. Es entonces cuando uno desearía más que nunca poder comunicarse con los animales.

Nos hemos habituado a que todo tiene o debe tener una explicación. A pesar de ello, todos los años asistimos al imponente espectáculo de una ballena saltando o golpeando el agua con sus aletas. Rodeados por el viento, maravillados por lo desconocido, dejando que la belleza y nuestros sentidos triunfen, al menos por un instante, sobre la voluntad indagadora de la mente.

Franca Interpretación

Nadie debe creer que lo ha visto todo si no ha sido testigo de una ballena intentar tocar las nubes. Es desatinado esforzarse por describir con palabras o ilustrar con imágenes la experiencia de ver 50 toneladas de vida emerger desde el fondo del mar, proyectarse en el aire y caer de espaldas con una explosión de trueno que se dispersa por decenas de kilómetros y se resiste a las leyes físicas que intentan atenuarla. Nunca tuvimos mayor certeza de que íbamos a dedicarnos a la protección de la naturaleza como cuando vimos a una ballena franca poner a prueba las leyes de la gravedad y quebrar las aguas del golfo San José, impulsada por fuerzas interiores tan desconocidas por nosotros como aquellas que nos hacían sentir la emoción del momento.

Explicar por qué saltan las ballenas es entrar en el terreno resbaladizo de la conjetura, un área de la imaginación prejuiciosamente vedada a los científicos. Muchas especies de ballenas saltan pero nadie en el mundo sabe bien por qué lo hacen. Es un misterio que no se resuelve fácilmente ni con microscopios ni con binoculares. El gasto de energía involucrado en cada salto obliga a pensar que existe alguna razón que lo justifique, como si la naturaleza no tuviese la opción del despilfarro.

Primera especulación: las ballenas saltan para mejorar su percepción del entorno. Semejante aseveración se apoya en la escasa evidencia de que algunas saltan con los ojos abiertos. Segunda especulación: las ballenas saltan para desprenderse de parásitos molestos. La evidencia es que, luego de un salto, quedan flotando ciámidos y otros invertebrados que viven sobre las ballenas. Tercera especulación: las ballenas saltan reaccionando a las molestias que le causan las gaviotas. Algunas especies de gaviotas son realmente un problema para las ballenas. Estas aves las pican y lastiman en su intento por sacarles piel y grasa. Cuarta especulación: las ballenas saltan para comunicarse. La evidencia es que el estruendo que ocasiona una masa impresionante de músculos, huesos y órganos vivos cayendo al agua, como el que se tira de un trampolín habiendo trastabillado en el último paso, se transmite debajo del agua recorriendo grandes distancias. En este terreno todo parece ser posible, probable... tal vez.

Si se supiera por qué las ballenas saltan, se añadiría al fenómeno la satisfacción de haberlo descifrado desde una perspectiva científica. Pero a un artista, por ejemplo, el sello académico no necesariamente le cambiaría la calidad de su experiencia. Y a los que simplemente les gusta mirar ballenas, se les daría una razón más para admirarlas. Pero los científicos operan con su propia filosofía y el salto de las ballenas seguirá perturbando el sueño de algunos.

A nuestro entender, el comportamiento que sigue al salto en espectacularidad es el de golpear el agua con la cola. Si el salto se asocia a lo improbable, el golpe con la cola representa lo poderoso. La sensación que provoca es la de avalancha, de fuerza avasallante. La ballena mantiene la cabeza a 10 metros debajo del agua mientras golpea la superficie del mar con fuerza destructiva, flexionando la aleta caudal con una ductilidad de látigo. El estruendo del golpe potencia la fuerza de la imagen. Los golpes se suceden uno tras otro, a veces por varios minutos. Es entonces cuando el observador se convence de que no hace falta mirar hacia arriba para sentirse intimidado.

¿Por qué las ballenas golpean el agua con la cola? ¿Comunican así su presencia a otros individuos? ¿Es una forma de defensa contra predadores? Seguramente la fuerza del golpe podría convertir a un predador como una orca en un saco de huesos rotos. Pero aunque se describió el golpe de la cola en asociación con la presencia de orcas en las cercanías, las ballenas muestran este comportamiento aunque los depredadores no estén presentes.

Los golpes con las aletas pectorales también son parte de lo que se denomina el etograma de una ballena, el catálogo de los comportamientos más importantes que se observan en la especie. La ballena generalmente se encuentra en una posición invertida, flotando con el vientre hacia arriba o de costado. Comienza entonces una serie de golpes, como si pegásemos con la palma de la mano sobre la superficie del agua.

Otras veces las ballenas sacan la cola, como en las ocasiones en las que van a golpear el agua, pero esta vez mantienen la aleta caudal en posición vertical por algunos minutos. La superficie que exponen al viento es del tamaño equivalente a una vela triangular de 5 metros de base y 1,5 metros de altura. No extraña entonces que este comportamiento haya sido interpretado como una manera de navegar usando el viento como propulsor: una suerte de windsurf para ballenas.

Podríamos seguir enumerando actividades curiosas y enigmáticas que nos llevan a una conclusión ineludible: gran parte del mundo de las ballenas permanece aún casi tan vedado a nuestro intelecto como el más extraño de los fenómenos astronómicos. Pero la astronomía estudia aspectos del universo que ocurren en un espacio y un tiempo ajenos a nuestra experiencia cotidiana, mientras que basta un poco de paciencia y un viaje a la Patagonia para poder ver saltar a las ballenas francas una y otra vez.

En el Atlántico Sur no se respeta el día o la noche, las tormentas, el invierno o el verano. Flotas pesqueras persiguiendo el éxito comercial; ballenas, delfines, aves, elefantes y lobos marinos, tratando de sobrevivir. Bajo la misma superficie, bocas y picos que intentan alimentarse junto a redes cada vez más grandes que atrapan, como una caverna desmesurada, todo lo que se antepone a su camino de agua y sal.

COLANDO EL MAR

El universo de la realidad es más creativo, paradójico y perturbador que el de la ficción. Por ejemplo, el cuerpo animal más grande que haya existido pasa la mayor parte de su vida sin alimentarse y sólo aprovecha los meses del verano para tamizar cantidades siderales de organismos que, por su tamaño, se encuentran entre los más insignificantes que habitan el mar. Una ballena azul, que llega a medir 30 metros de largo y a pesar 100 toneladas, vive a expensas de organismos que miden unos cuantos milímetros de largo y pesan algunos gramos, de los cuales puede ingerir 1 tonelada en un solo episodio de alimentación.

En el océano Antártico, los organismos de los que se alimentan las ballenas azules responden al nombre genérico de krill. Durante los amaneceres o atardeceres del verano, el krill se encuentra a profundidades menores a 100 metros. Allí lo buscan, además de las ballenas, pingüinos, focas y lobos peleteros. El krill es la especie clave de la cadena alimenticia de los vertebrados antárticos. Se estima que el consumo total de krill por parte de los principales consumidores de los mares australes asciende a casi 500 millones de toneladas anuales. Esta cifra adquiere relevancia si se tiene en cuenta que la actividad pesquera en todo el mundo no llega a los 100 millones de toneladas anuales. A principios de este siglo, las grandes ballenas eran responsables de un 40 % del total de krill consumido. Hoy el impacto de predación por las ballenas no llega al 10 % del consumo total. Su lugar ha sido aparentemente ocupado por otros predadores tales como aves, focas y lobos peleteros. Al dejar de ser abundantes, las relaciones presa-predador cambiaron dejando a las ballenas relegadas a un segundo plano.

El sentido común, gran promotor de mitos y prejuicios, podría llevarnos a pensar que las ballenas son depredadores de temer, no sólo por los pequeños organismos, sino hasta por los seres humanos. Pero en realidad no son los terribles devoradores que su porte sugiere. Como ya hemos visto, las ballenas propiamente dichas ni siquiera tienen dientes. Los dientes son estructuras versátiles que sirven para atrapar, retener, cortar, triturar, desgastar, quebrar o perforar. Y a veces, hasta sirven para tamizar agua. Pero cuando se requiere filtrar muchos metros cúbicos de agua para obtener suficiente alimento la solución no pasa por tener muchos dientes.

Las ballenas resolvieron el problema de comer minúsculos organismos en grandes cantidades mediante estructuras llamadas barbas, prolongaciones córneas que cuelgan del maxilar, más flexibles que los dientes y con una enorme superficie de filtrado. Las barbas representan una innovación en un mundo de mamíferos dentados. La longitud de algunas de ellas indica que dentro de la boca abierta de algunas ballenas entra holgadamente un jugador de basquet parado. A diferencia del maxilar, las mandíbulas de las ballenas no tienen ni barbas ni dientes.

El material del que están compuestas las barbas se denomina queratina. La queratina es una proteína común en la naturaleza. Se la encuentra como matriz estructural de uñas, pelos y cuernos. Gracias a la composición molecular de la queratina, las barbas de las ballenas son fuertes y al mismo tiempo flexibles. Estas cualidades fueron muy apreciadas, en el pasado reciente, para la manufactura de algunos elementos de uso diario. Antes de que el plástico fuera la materia prima de elección en la producción de paraguas y peines y, cuando los corsés aún no eran piezas de museo, las barbas de ballenas formaban parte de la vida diaria de muchas personas.

Una ballena franca tiene alrededor de 450 barbas de color pardo oscuro ubicadas en forma paralela, como las diferentes capas de una masa de hojaldre. Las barbas tienen un borde externo que enfrenta al agua cuando el animal abre la boca y uno interno desflecado, con filamentos que se entretejen con los de la barba vecina formando un entramado que retiene a minúsculos organismos que penetraron con el agua al interior de la cavidad bucal.

Alternativas para colar el mar

Las técnicas de alimentación de las ballenas varían según la especie. Las ballenas grises suelen alimentarse en los fondos lodosos del Ártico, donde succionan sedimentos poniéndose de costado y filtrando luego crustáceos y gusanos que se encuentran en el lodo. La mayoría de los rorcuales son engullidores, mientras que las ballenas francas son filtradoras.

Los surcos en el vientre de los rorcuales son pliegues de la piel, especialmente bien marcados en la garganta, que sirven para aumentar el volumen de las fauces mientras el animal se alimenta. La ballena abre la boca violentamente hasta llenarla de agua y presas. A veces nada en superficie, pero otras veces asciende desde el fondo y emerge de golpe, como una gran boya que aumenta de volumen a medida que se acerca a la superficie. Mientras avanza, el animal fuerza la entrada de agua a la boca. La presión del agua expande los pliegues ventrales, como un acordeón que se abre en abanico. Al cerrar la boca el agua se evacua a presión por los laterales, pasando a través de las barbas donde queda retenido el alimento.

A diferencia de los rorcuales, las ballenas francas no son engullidoras sino filtradoras. El animal nada con la boca entreabierta, manteniéndose a veces en la superficie y otras parcial o totalmente sumergido. A medida que avanza, el agua entra en la boca por el frente pero no se acumula sino que se escurre por los costados pasando previamente por las barbas. Allí quedan retenidas miles de presas tamizadas por una red de malla fina. De vez en cuando, ayudada por una corriente de agua que ella misma genera en el interior de la boca, la ballena despega las presas pasando la lengua por el tamiz, limpia sus barbas y traga el alimento.

El krill, algunas especies de copépodos y los estadios larvales de vertebrados e invertebrados como el bogavante, peces y animales que viven en los fondos barrosos compondrían el menú de las ballenas francas. Se necesitan 200.000 de algunos de los organismos que forman el alimento de estas ballenas para llenar una taza de café. Las ballenas francas tienen que nadar mucho y filtrar mucha agua para obtener suficiente comida para sobrevivir.

Mientras las ballenas francas permanecen en aguas patagónicas, los adultos sólo se alimentan ocasionalmente. La supervivencia en este período se basa en las reservas grasas acumuladas durante el verano. La capa adiposa de una ballena franca bien alimentada puede tener 0,5 metros de espesor y representa su seguro de vida durante la temporada de reproducción.

¿Cuánto comen las ballenas? ¿Hay suficiente alimento en el mar para ellas? ¿Interfiere el ser humano con la disponibilidad de ese alimento? Una ballena puede aumentar varias toneladas de peso en los meses de la temporada estival. Para ello debe ingerir varios centenares de kilos de alimento por día. Se estima que una ballena azul podría ingerir hasta 4 toneladas diarias de krill, mientras que las ballenas francas adultas pueden requerir poco más de 1 tonelada de alimento por día. Pero estos datos tienen mucho de especulativo.

Las ballenas siempre obtuvieron del mar los recursos que necesitaron. Aún hoy, el alimento no es el factor que limita el crecimiento de las poblaciones. Sin embargo, la creación de áreas protegidas en los lugares de alimentación sería una decisión previsora para asegurar el futuro mediato de las ballenas.

La ferocidad en el reino de la naturaleza suele esconderse bajo las formas menos evidentes. Las orcas nos aterrorizan mientras acechan a su presa. El veredicto surge instantáneo y son condenadas sin apelación. Pero, en el mismo momento, y en los fondos del océano, una estrella de mar quiebra con sus brazos el caparazón de un erizo. La presa de la orca escapa, el erizo muere. En la lucha por perdurar, Caperucita puede ser el lobo.

¿Quién se comió la ballena?

Nos llega la noticia a través de un poblador. El mar arrojó una ballena franca muerta en una playa del golfo San José. Sólo al día siguiente podemos llegar hasta el animal que aún está fresco y encontramos que es un ballenato hembra de unas pocas semanas de edad. No es el primero de la temporada. Lamentablemente para el crecimiento de las poblaciones de ballenas francas australes, todos los años aparecen jóvenes y adultos muertos en las costas de la Península Valdés. En 1985, sólo en el golfo San José, se registraron seis ballenatos muertos de por lo menos 26 nacidos. En 1993 fueron por lo menos ocho los que el mar arrojó a las costas del golfo Nuevo.

Casi nunca se llega a saber la causa de muerte de un ballenato y muchas veces se concluye que murió durante el parto. La mortalidad perinatal es alta para la mayor parte de las especies de mamíferos marinos, posiblemente por razones que tienen que ver con la salud del recién nacido, la experiencia de la madre y las condiciones del mar. Pero en el caso de la cría muerta que encontramos en las costas del golfo San José, la evidencia sugería una causa de muerte particular.

Encontramos al animal sobre una playa de arena que se extendía ampliamente durante la marea baja con una pendiente casi imperceptible. Tenía la boca parcialmente abierta y dejaba caer lo que le quedaba de la lengua. La punta de la lengua había sido cortada dejando una herida de borde irregular, desgarrado. La piel de las aletas pectorales mostraba surcos blanquecinos, como si le hubiesen pasado un rastrillo con fuerza sobre ellas hasta exponer la grasa subcutánea. La cola presentaba cortes en sus extremos y había heridas profundas en otras partes del cuerpo. Tomamos fotos, medimos al animal, inspeccionamos las heridas.

Las marcas que tenía el ballenato no dejaban lugar a dudas: había sido atacado por orcas. La alternativa de que fueran tiburones era improbable. Los ataques de tiburones a mamíferos marinos son aparentemente raros en estas latitudes. En las costas del Pacífico Norte, los tiburones blancos hieren o matan elefantes marinos y otros mamíferos marinos. Pero raramente observamos en la Península Valdés elefantes marinos con heridas causadas por tiburones. Los surcos en la piel del ballenato eran heridas ocasionadas por los dientes de una orca; los cortes eran mordeduras y desgarros. Pero la duda surgía a la hora de determinar si las orcas habían matado a un ballenato en buen estado físico, si éste estaba débil o moribundo y las orcas le habían adelantado la muerte o si los depredadores habían aprovechado a un animal ya muerto.

Los antecedentes indicaban que, en varias ocasiones, un grupo de orcas había sido visto atacando ballenas adultas y madres con cría en aguas que circundan la Península Valdés. Las orcas aparentemente atacan las aletas pectorales de las ballenas, tal vez una manera de controlarles el movimiento, para luego matarlas con más facilidad. También se había visto a las ballenas defenderse de los predadores, pero nunca se había registrado la muerte de la presa.

Las ballenas pesan 10 veces más que una orca y tienen suficiente fuerza en las aletas y en la cola como para matar a un depredador. Los golpes de cola, que observamos tantas veces en contextos que no nos permitían entender su utilidad, podrían ser eficientes para disuadir las intenciones de una orca. Pero mientras se defiende a golpe de cola, la ballena debe permanecer con la cabeza sumergida y sin respirar. Tarde o temprano se ve obligada a emerger los espiráculos para inhalar aire y es allí cuando es más vulnerable.

Nosotros habíamos visto orcas en el golfo San José pocos días antes de encontrar al ballenato muerto en la playa. A una de las orcas se la reconocía por sus marcas y gran porte. Era un macho adulto experto cazador de mamíferos marinos en punta Norte. Se lo había visto muchas veces embestir a lobos y elefantes marinos que estaban nadando cerca de la costa, o incluso varar en la playa para atrapar a una cría de lobo marino, exponiendo casi todo el cuerpo fuera del agua.

Investigando los antecedentes de otros ataques de orcas a ballenas, supimos que, en julio de 1971, un grupo de investigadores a bordo de un buque oceanográfico presenció un ataque de cinco orcas a dos ballenas francas en el golfo San José que duró 25 minutos. Las ballenas se habían defendido con cambios bruscos de rumbo y con tremendos golpes de la cola y las aletas pectorales. En aquella ocasión, salieron ilesas. Pero nosotros teníamos una razón más para pensar que nuestro ballenato había corrido otra suerte.

Aunque aparentemente nadie ha visto a una orca matar a una ballena franca adulta en la Patagonia, existen relatos de ataques exitosos a crías, juveniles e incluso a adultos de las grandes ballenas. Durante los años 20, cuando en la Antártida las ballenas podían haber aprendido que las orcas eran niñas mimadas comparadas con los balleneros, se describieron ataques mortales de orcas a ballenas azules jóvenes (las orcas sólo llegaban a comerles parte de la lengua, los balleneros se encargaban del resto). Las descripciones de estos ataques indicaban que un ballenato inexperto podía ser presa fácil de predadores cooperativos. La madre del ballenato de la playa del golfo San José probablemente había defendido a su cría exponiéndose a sí misma. Pero un depredador hábil elige una presa vulnerable y persiste en el acecho y la persecución hasta abatirla.

La depredación u otras causas de mortalidad natural no ponen en peligro a las poblaciones animales mientras éstas sean abundantes. Pero en el caso de la ballena franca austral, una cría menos de las pocas decenas que nacen cada año es una pérdida importante. Nada puede o debe hacerse para cambiar las reglas del juego impuestas por la naturaleza. Pero es importante evitar que las poblaciones animales lleguen al estado de vulnerabilidad en el que se encuentra actualmente la ballena franca austral. Cuando se transgreden los límites de seguridad, hasta las relaciones más naturales entre seres vivos parecen confabularse para tender hacia una situación sin retorno.

La lucha pasional no está precisamente en el centro de un remolino confuso de espuma, aletas y cuerpos oscuros de ballenas. La verdadera carrera por perpetuarse en el fenómeno de la vida ocurre a nivel microscópico. La descendencia de las ballenas francas no parece depender sólo de la fuerza, la velocidad o el estruendo. Las apariencias engañan.

Machos fogosos ¿Hembras esquivas?

La primera impresión es de tumulto, confusión, caos. Emerge una aleta, se sumerge una cola, asoma una cabeza, se oye una respiración. Ahora no se ve nada, ahora se ven todas. Se requiere la capacidad de interpretación de un observador entrenado para dilucidar quién le hace qué a cual debajo del agua. Y saberlo es importante porque lo que está sucediendo tiene que ver con la continuidad de la vida: las ballenas se están reproduciendo.

Tal vez debido al tamaño y las formas de los implicados, el apareamiento en los mamíferos marinos parece promover más nuestra curiosidad que la misma actividad en los mamíferos terrestres. Así lo experimentamos por lo menos los que alguna vez tuvimos que hablar sobre el comportamiento social de las ballenas. Nunca faltó la pregunta de cómo, cuándo y dónde tenía lugar el apareamiento de animales de dimensiones inesperadas y movimientos aparentemente torpes.

Los mamíferos marinos menos complicados en los menesteres de la reproducción son los lobos marinos. Un macho, tres veces más grande y pesado que su pareja, monta a la hembra y literalmente la oculta debajo de su cuerpo. Sólo los ocasionales movimientos pélvicos del macho y el emerger de la cabeza de la hembra debajo de su pecho indican que la cópula está ocurriendo. En otra especie, el elefante marino, la estructura anatómica y enorme corpulencia de los machos, que llegan a ser hasta 10 veces más pesados que una hembra adulta, no facilitan el apareamiento como lo hace un lobo marino. Un macho de elefante marino no monta a la hembra sino que permanece casi inmóvil al costado de ésta, reteniéndola cerca de su cuerpo con una de sus aletas pectorales. Otras focas resolvieron el problema de enfrentarse a la gravedad a la hora de la reproducción apareándose en el agua, como lo hacen las ballenas.

Todos los cetáceos se aparean en el agua. Algunos delfines se reproducen apoyándose mutuamente la parte ventral del cuerpo durante algunos segundos y sin parar de nadar. Las ballenas también se reproducen "vientre a vientre" pero en ocasiones se aparean a distancia. En sus menesteres reproductivos los machos de las ballenas francas gozan del toque privilegiado de la naturaleza: el largo del pene es de algo más de 2 metros y equivale al 14 % del largo corporal. El órgano reproductor masculino es muscular y retráctil, no aumenta ni en longitud ni en diámetro durante la actividad de apareamiento, se encuentra expuesto sólo durante la cópula y el macho puede dirigirlo en una u otra dirección, según la posición en la que se encuentre la hembra. ¿Cómo usa el macho estas cualidades físicas en el contexto de la reproducción?

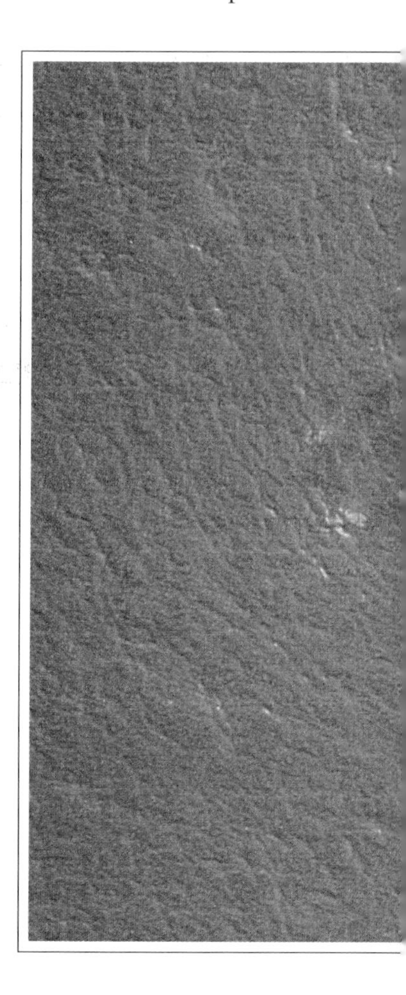

Durante la temporada reproductiva, las ballenas francas forman grupos de apareamiento en los que varios machos tratan de acceder a una hembra que se encuentra sexualmente receptiva. El objetivo de los machos parece ser sencillo y común con el de muchas otras especies de mamíferos: tener éxito sexual. Son las hembras, que a diferencia de los lobos y elefantes marinos en las ballenas suelen ser más grandes que los machos, las que parecen tener la última palabra sobre quién tiene éxito. Teóricamente, un macho de ballena franca puede aparearse fácilmente en casi cualquier posición en la que se encuentre su pareja, excepto cuando ésta se mantiene en la superficie con el vientre hacia arriba. Pero las hembras adoptan con frecuencia justamente esa inoportuna postura complicando la vida de los machos.

El macho o los machos que finalmente acceden sexualmente a una hembra son aquellos capaces de mantenerse cerca de ella a pesar de que otros intentan ocupar el mismo espacio al mismo tiempo. Si bien los competidores se empujan y hasta podrían llegar a usar las callosidades en despliegues aparentemente agresivos, éstos no muestran comportamientos de lucha por el acceso a las hembras tan evidentes como el de los lobos y elefantes marinos. La actividad en un grupo de apareamiento puede durar varias horas y terminar con la inseminación de la hembra por varios machos. Sin embargo, dado que sólo un espermatozoide es el responsable de la fecundación, la cría que produce una hembra tiene como padre a uno de los machos competidores. El éxito aparente pertenece a varios pero el definitivo es privativo de uno de los cortejadores.

¿Qué puede hacer entonces un individuo para aumentar su oportunidad de ser exitoso en circunstancias en las que otros tienen las mismas inten-

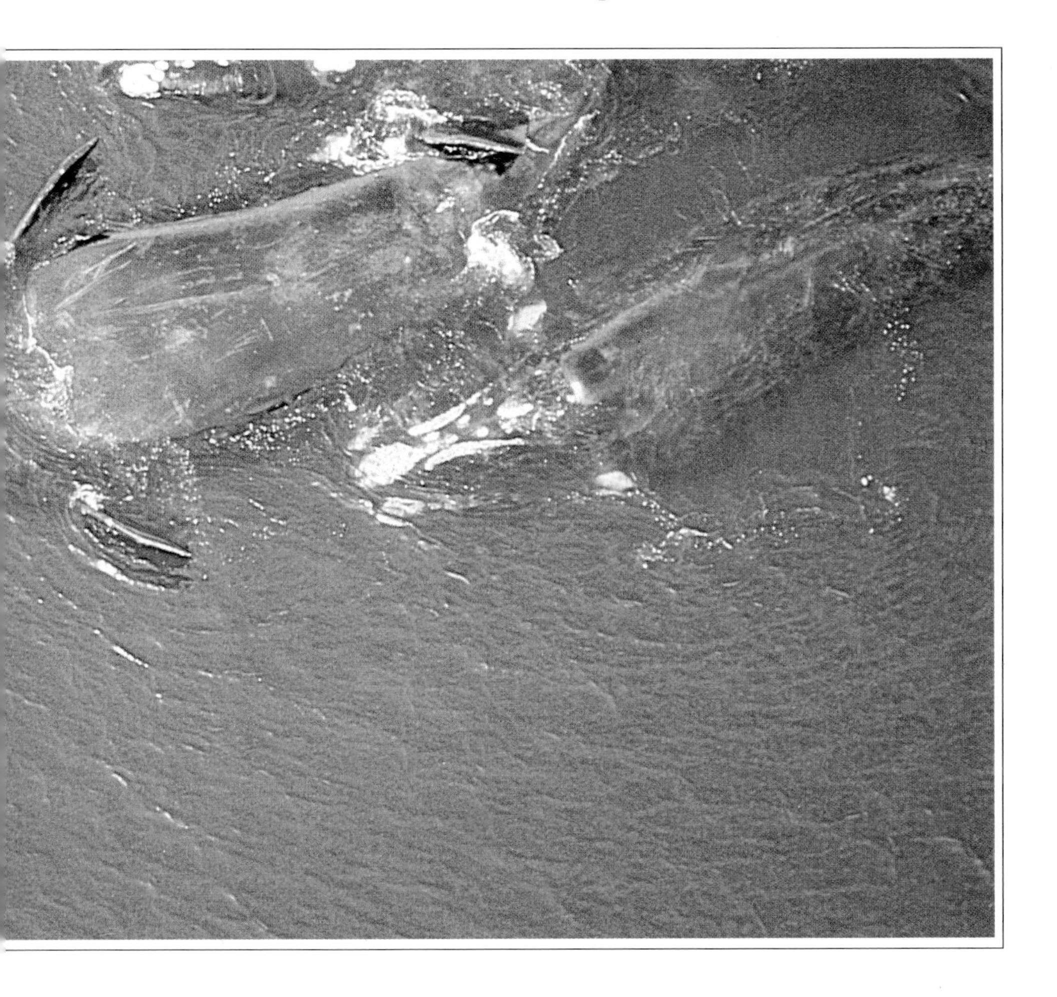

ciones? En las ballenas francas, y no en otras especies de ballenas, la respuesta parece pasar por la producción de enormes cantidades de espermatozoides. El dato clave que nos lleva a esta conclusión es el tamaño testicular. Los testículos de un macho de ballena franca pueden pesar casi 1 toneladas (972 kilogramos es el récord registrado). Si nos basáramos en las proporciones de un mamífero terrestre tipo, el tamaño testicular en relación con el tamaño del cuerpo predice, para estas ballenas, testículos que deberían pesar poco más de 150 kilogramos. ¿Por qué los machos de ballena franca tienen testículos seis veces más grandes de lo que se espera por su tamaño corporal?

Observaciones en otras especies indican que la competencia entre machos por la reproducción no se agota en el uno a uno. Una forma particular de competir ocurre a nivel celular y se denomina competencia espermática. La idea subyacente a este concepto es que cuando varios machos se aparean con una misma hembra la probabilidad de ser padre que tiene un individuo aumenta si se incrementa la cantidad de espermatozoides producidos y eyaculados. Pero para producir grandes cantidades de espermatozoides se necesitan testículos de gran tamaño, como los que tienen los machos de las ballenas francas. La competencia más encarnizada entre ellos no ocurriría entonces a través del despliegue de comportamientos agresivos conspicuos sino que tendría lugar a nivel microscópico entre células sexuales.

¿Por qué no hembras fogosas y machos esquivos?

El comportamiento de las ballenas francas durante la reproducción nos lleva a un aspecto de la biología que apasiona a más de uno: la evolución de los sistemas de apareamiento. Una observación casi sin excepciones entre los mamíferos es que los machos raramente desaprovechan la oportunidad de un apareamiento. Estos intentan acceder sexualmente a cuantas hembras puedan y suelen ser bastante poco selectivos de las cualidades de su pareja de oportunidad. Los machos de especies tan diversas como elefantes marinos, guanacos, gorilas o ballenas francas comparten esta característica con leones, cebras o gacelas. Por el contrario, las hembras en estas mismas especies tienen, a la hora del apareamiento, comportamientos que se contraponen al de los machos. Para las hembras no parece ser lo mismo un macho que otro. ¿Por qué especies tan diferentes como zorros y delfines deberían tener en común machos aparentemente inescrupulosos y hembras aparentemente esquivas?

Un biólogo evolutivo respondería a esta pregunta afirmando que la naturaleza premia ciegamente al que deja más descendientes capaces de llegar a edad reproductiva. Esto se aplica tanto a machos como a hembras pero la manera más eficiente que tienen los machos de dejar descendientes no concuerda con el estilo que más favorece a las hembras. La diferencia entre los sexos se origina en un hecho incontrovertible: en los mamíferos las hembras tienen a su cargo casi todas las responsabilidades biológicas que implica la reproducción. La responsabilidad paternal, por el contrario, termina con la fecundación. ¿Qué relación tiene este hecho de la vida con los comportamientos reproductivos?

Mientras una hembra gesta o amamanta, su capacidad de reproducirse se encuentra limitada. Por el contrario, luego de fertilizar a su pareja, los machos quedan libres para buscar a otras hembras. Hembras fogosas en un mundo de machos fogosos no tendrían problemas en aparearse. Pero ¿cuál sería el beneficio para una hembra de aparearse con cualquier macho y terminar invirtiendo un enorme esfuerzo en gestar y amamantar mientras su pareja queda libre para reproducirse nuevamente y con otra

hembra? El comportamiento de las hembras refleja el alto costo que la reproducción significa para ella en comparación con el macho.

Algunas teorías predicen que las hembras se benefician como individuos sólo si reproducen con machos que aumentan la probabilidad de que sus descendientes sobrevivan hasta ser a su vez aptos para la reproducción. En especies como los lobos marinos, elefantes marinos y ballenas, en las que el macho sólo contribuye con su esperma a la producción de descendencia, la cualidad genética es el único aspecto que las hembras deberían seleccionar en un macho a la hora de la reproducción.

Es de esperar que la cualidad genética varíe de macho a macho. El individuo que pueda darle la mejor cría posible a una hembra será, según la especie el más descomunal, en otras el más ágil o el de colores más llamativos, o el que tiene la capacidad de producir más espermatozoides. Pero aunque las especies varíen en sus códigos y características seleccionadas, en todas se espera que la selección femenina de la pareja sexual sea más sofisticada que la masculina. El comportamiento "esquivo" de una hembra no pasa entonces por evitar la reproducción sino que tiene un componente de precaución: evitar la reproducción con el macho equivocado. La impulsividad, producto de un temperamento fogoso, no sería una cualidad que, en la naturaleza, lleva a las hembras a ser reproductivamente exitosas.

Recapitulando, cuando un organismo se encuentra anatómica y fisiológicamente adaptado para gestar y amamantar, su comportamiento más eficiente se habrá encaminado evolutivamente en una dirección. Los que se aparten para ir en la dirección opuesta o diferente tienen alta probabilidad de ser penalizados.

Cuando las ballenas se reproducen está en juego la continuidad de una especie a través del ciego interés de los individuos por obtener el máximo beneficio genético. Un grupo de ballenas apareándose en la costa de la Península Valdés es la expresión, en el comportamiento, de intereses encontrados entre machos y hembras. Es la evidencia de un conflicto inevitable entre los sexos que debe solucionarse para que exista reproducción. La continuidad de la especie depende de la "negociación" inconsciente entre individuos por pasar sus propios genes a las futuras generaciones. Si se llega a buen término y ocurre inseminación, se inicia inmediatamente un nuevo conflicto, esta vez a nivel microscópico, entre células que llevan un mensaje comenzado a construir desde el inicio de la vida, ahora a merced de un remolino confuso de espuma, aletas y cuerpos oscuros de ballenas.

Los misterios de la naturaleza, aquello que nos está vedado, ocurre debajo de las hojas, durante esos minutos extraños o en las profundidades secretas del océano. Así, a nuestras espaldas, crecen las alas de las libélulas, se desmoronan las piedras y, de tanto en tanto, se asoman a su mundo acuático, desapercibidas, nuevas crías de ballena franca austral.

Maternidad Península Valdés

No existe evidencia documentada de que un ser humano haya alguna vez observado la parición de una ballena franca austral. Mientras telescopios espaciales enfocan galaxias a distancias inconcebibles y microscopios electrónicos develan la intriga silenciosa de las moléculas, nadie vio parir a un animal de 16 metros de largo y 50 toneladas de peso que pasa una parte importante de su vida a pocos metros de la costa.

Las primeras pariciones de cetáceos documentadas en detalle ocurrieron en cautiverio. Así se observó que las hembras de algunos delfines nadan durante el parto con enérgicos movimientos de la aleta caudal mientras emerge primero la cola y luego el resto del cuerpo de la cría. El pequeño delfín nada hacia la superficie o es empujado por la madre quien lo ayuda así a respirar aire por primera vez. Poco después del parto los músculos utilizados en la natación adquieren, en la cría, suficiente fuerza como para permitirle sincronizar la respiración en la superficie con las inmersiones. Este es un examen que los mamíferos terrestres no tienen que pasar pero que puede significarle la muerte prematura a un mamífero marino que no lo apruebe.

Es probable que las ballenas, como los delfines, también nazcan en posición caudal luego de un período de gestación cercano a los 12 meses. La duración de la gestación es similar en casi todos los mamíferos marinos. Sin embargo, la frecuencia con que una hembra tiene cría durante su vida reproductiva varía ampliamente. Algunos mamíferos marinos son más prolíficos que otros. Una hembra de lobo marino, por ejemplo, puede ser inseminada una semana después de haber parido. De esta manera, la hembra tiene la potencialidad de quedar preñada prácticamente todo el año y todos los años de su vida. Pero las ballenas francas no son tan prolíficas ya que, aparentemente, paren una cría cada dos o más años de vida reproductiva activa.

Unas 400 ballenas visitan cada año los golfos de la Península Valdés. Muchas son hembras que quedarán preñadas durante la temporada. Otras llegan preñadas y vienen a parir. Entre julio y octubre, nacen en la zona de 40 a 50 ballenatos. Es interesante que las ballenas que paren en la Patagonia no son vistas en esas costas el año anterior a la parición. ¿Dónde y cuándo quedan preñadas estas hembras? Nadie tiene respuesta a esta crucial pregunta del ciclo de vida de una ballena franca. No puede eliminarse la posibilidad de que algunos animales hayan estado en la Patagonia durante un tiempo suficiente como para aparearse sin que se las haya encontrado durante los monitoreos aéreos de identificación. Llama la atención, sin embargo, que incluso en aquellos años de intenso esfuerzo de identificación nunca se encontraron hembras que regresaran a parir al año siguiente.

Si las hembras no están en la costa de la Patagonia durante el año anterior a su parición en esas aguas, la alternativa es que la inseminación ocurra fuera de las áreas tradicionales de parición. Tal vez la inseminación ocurre en alta mar mientras el animal está en camino hacia la Península Valdés, o en otras áreas de reproducción de la especie fuera de la Patagonia.

Este problema irresuelto nos conduce a otro igualmente intrigante: ¿dónde paren las hembras que sí copulan en la Península Valdés? Aunque la evidencia es pobre en cantidad de observaciones, es posible que algunas ballenas francas que se aparean en aguas patagónicas paran en las costas sudafricanas o en las de algunas islas del Atlántico Sur. De la misma manera, es posible entonces que algunos partos que ocurren en la Patagonia costera sean producto de inseminaciones que tuvieron lugar en áreas geográficamente distantes a ella.

Cualquiera que sea el lugar de inseminación, el parto de una ballena es seguido por un período de varios meses de cuidado maternal. Las ballenas, como otros mamíferos, amamantan a su cría con leche altamente nutritiva que les permite crecer rápidamente. Una cría de ballena franca mide poco más de 5 metros al nacer, pesa más de 3 toneladas y crece a razón de 1 metro por mes. Una ballena azul mide al nacer 7 metros de largo y pesa alrededor de 2 toneladas. Antes del año duplica su longitud y llega a pesar 20 toneladas. A los dos años pesa 40 veces más que al nacimiento.

Para lactar, las crías se sitúan debajo de la madre, acercándose a los pezones, que únicamente protruyen durante el amamantamiento. La leche se inyecta a presión en la boca de la cría facilitando la succión, una tarea que en el mar es complicada. Es posible que los hábitos costeros de la ballena franca estén fundamentados en facilitar la lactancia a las crías. A veces estos hábitos llegan a extremos que asombran. Algunas madres pasan nadando con su cría a 10 metros de la costa y a 5 metros de profundidad. Más cerca, o a menor profundidad, significaría una ballena varada. Cuando el ballenato ya lleva varias semanas de vida marina y está suficientemente maduro como para sobrevivir a una travesía, madre y cría se dirigen hacia mar abierto, en dirección a las áreas de alimentación, donde la hembra recupera fuerzas mientras la cría sigue su crecimiento a expensas de la leche materna.

La reproducción espaciada de las ballenas francas tiene una consecuencia importante para su conservación dado que limita una recuperación rápida de las poblaciones. Visto desde nuestra óptica, el ciclo reproductivo de una ballena ocurre despacio. El haber pasado por alto esta realidad llevó a los balleneros de antaño a eliminar más animales de los que nacían. Las pujantes poblaciones de ballenas que ellos vieron, posiblemente los llevaron a creer que eran prolíficos animales capaces de soportar una extracción intensa. Pero no fue así.

Las ballenas eligen para reproducirse áreas de la costa tradicionales que se mantienen de generación en generación. Nadie sabe qué encuentran las ballenas a estos lugares. Es posible que estén buscando seguridad para las crías, pero también es posible que haya otras razones que escapan a nuestra óptica de mamíferos terrestres. Durante los últimos 10 años los lugares de reproducción de la ballenas francas parecen haberse ampliado en rango geográfico. Algunas hembras con cría se distribuyen hoy en las costas del golfo San Matías, en un área que abarca desde el sur del Río Negro hasta la Península Valdés. Sería deseable que en algunos años, como parte de la recuperación de esta especie, tengamos que dejar de hablar de la Maternidad Península Valdés para pasar a titular este capítulo Maternidad Patagonia.

Mientras algunos hombres construyen antenas gigantes para escuchar las señales del universo, otros prestan atención a su vecindario donde las especies de la Tierra se comunican. Dioses silenciosos, habitantes de otras galaxias, pájaros o ballenas también reciben nuestros mensajes. ¿Por qué? El camino de la evolución nos ha colocado en una suerte de isla y, por eso, miramos al cielo o escuchamos el rumor del fondo el mar, donde las ballenas, con una música que aún no comprendemos, nos alivian temporariamente de nuestra soledad.

Gritos y Susurros

Tal vez el aspecto más refinado y crítico de la particular combinación de elementos y funciones que hacen vivo a un ser es la capacidad de percibir el mundo externo y de comunicarse con él y a través de él. En su relación con el exterior, un ser humano usa preferentemente un sector restringido del espectro de ondas electromagnéticas denominado luz visible. Mucho menos efecto tiene sobre nuestra conciencia el resto de la información ambiental codificada como señales físicas, menos perceptibles. En otras palabras, pocos son los que se conmueven por igual por el aroma del desierto luego de una lluvia que ante las manifestaciones visuales de la tormenta que liberó los aromas.

El espacio aéreo pone límites físicos a la velocidad, dirección e intensidad de propagación de un mensaje. Como consecuencia, la comunicación sonora y visual a través del aire es eficiente sólo a distancias relativamente cortas. El grito de un mono aullador en la selva atraviesa el espacio a una velocidad aproximada de 300 metros por segundo. Cada vez que el aullido choca contra hojas y ramas, la señal se dispersa erráticamente y el mensaje se atenúa y va perdiendo eficiencia. Son pocos los que oyen la vocalización a varios kilómetros, y menos aún los que pueden ver al emisor oculto en el follaje. Los ojos y oídos más refinados que hayan llegado a existir por selección natural, no permiten percibir minuciosamente los detalles del ambiente distante.

El agua restringe más que el aire la comunicación a distancia de mensajes visuales sofisticados. La luz blanca se distorsiona y atenúa rápidamente a medida que penetra en las profundidades. Las aguas más claras que se puedan imaginar permiten que una señal visual llegue eficientemente sólo a distancias de decenas de metros. Pero las señales sonoras encuentran en el agua el medio apropiado para la transmisión a grandes distancias.

El mar ruidoso

El sonido se propaga en el mar por lo menos cuatro veces más rápidamente que en el aire, variando según la temperatura, la presión y la salinidad del agua. Un sonido subacuático emitido en condiciones físicas ideales para la propagación podría, en teoría, cruzar el océano a 1.500 metros por segundo y ser percibido por un receptor localizado a grandes distancias. Esta posibilidad física motivó que, en los años 70, los investigadores que estudiaban los cantos de las ballenas jorobadas sugirieran la posibilidad de que las ballenas explotaran estos "túneles de sonido" para comunicarse en las profundidades de un extremo al otro del océano. Un animal ubicado en los alrededores de Groenlandia comunicándose con otro en la Antártida podría parecer demasiado fantasioso. Sin embargo, investigaciones recientes sugieren la posibilidad de que una ballena ubicada en el Mar del Caribe se comunique con otra en el golfo de México, a poco más de 1.000 kilómetros de distancia.

¿Cuál es la evidencia que sustenta esta posibilidad? La respuesta la proveen los sistemas estratégicos de defensa antisoviéticos. La monumental paranoia provocada por la guerra fría motivó la creación del Sistema Integrado de Vigilancia Submarina (Sound Surveillance System, SOSUS), un rosario de hidrófonos tendidos en el Atlántico y Pacífico Norte para la defensa contra submarinos soviéticos. Los hidrófonos detectan la presencia de naves potencialmente enemigas a partir del sonido de sus motores. Pero estos receptores captan además, una extraordinaria cantidad de sonidos de origen natural, tales como erupciones submarinas, terremotos... y cantos de ballenas.

La comunicación entre ballenas nunca fue prioridad estratégica. Y, por razones de seguridad militar, nunca se puso la tecnología a disposición de toda la comunidad científica. Disipadas las amenazas de guerra, el SOSUS pasó a ponerse parcialmente a disposición de la investigación de la comunicación en ballenas. Miles de millones de dólares de infraestructura ya instalada y en funcionamiento para la investigación de la biología de los cetáceos es seguramente mucho más de lo que cualquier cetólogo hubiese esperado tener alguna vez a mano. Desde bases de operaciones ubicadas en América del Norte, los investigadores identifican hoy los so-

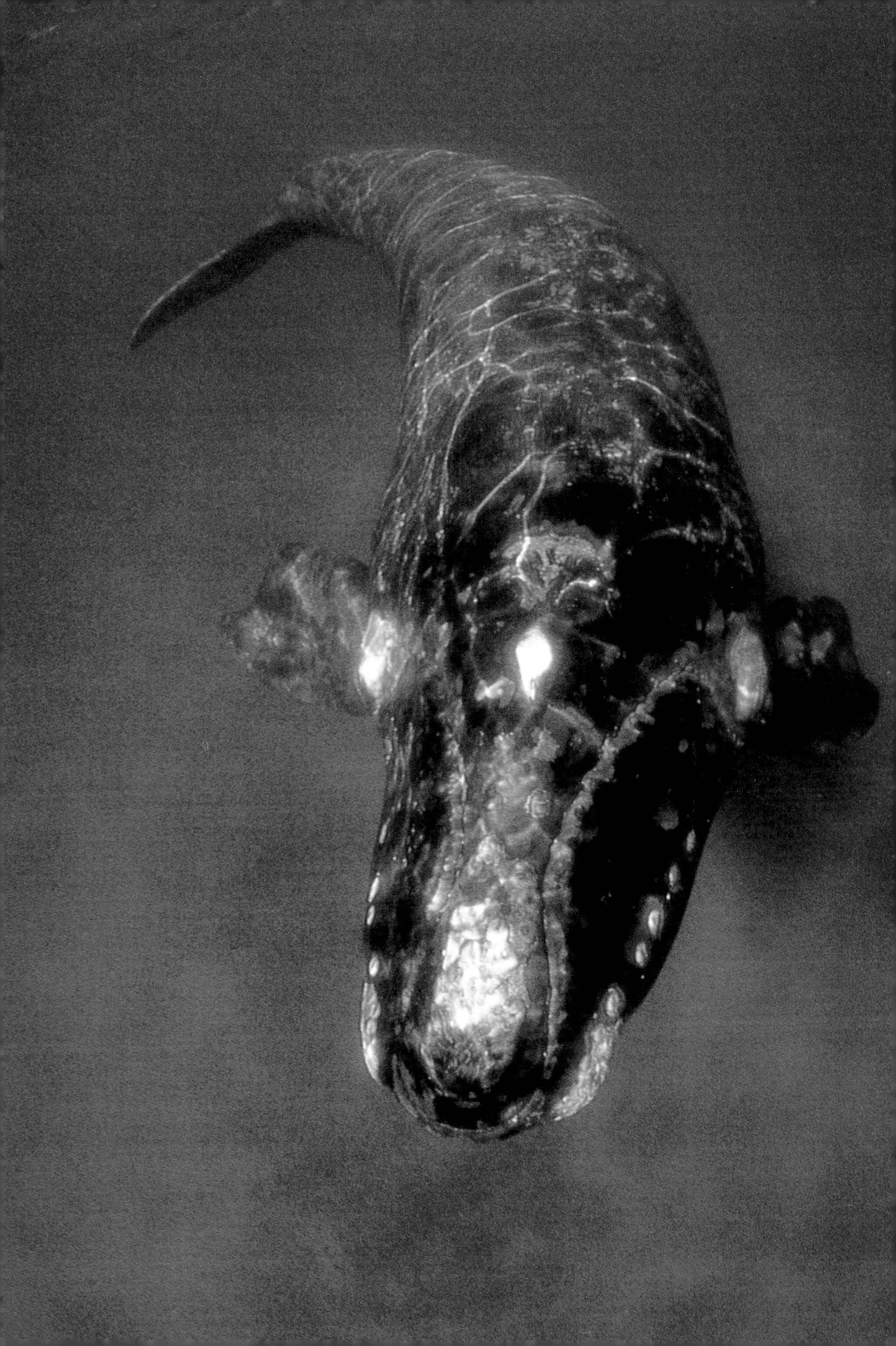

nidos de ballenas azules, minke o jorobadas moviéndose en algún lugar del océano a cientos de kilómetros de distancia de la costa. También pueden determinar fehacientemente el punto geográfico desde el cual proviene el sonido, y seguir así la trayectoria de un individuo por varios días. El método permite estudiar los movimientos migratorios de decenas de animales sólo a partir de los sonidos que emiten. En una ocasión se siguió a la misma ballena durante un recorrido de 1.000 kilómetros a base de las características de sus vocalizaciones. Se detectó al animal en las costas de Canadá con hidrófonos ubicados en el Mar del Caribe.

Si los hidrófonos captan sonidos emitidos por ballenas distantes, es posible que otras ballenas también lo hagan. Si es así, un animal podría estar oyendo a otro que literalmente se encuentra en el extremo opuesto del océano. Los horizontes sonoros, a diferencia de los visuales, abarcarían extensiones comparativamente inmensas. Una ballena podría estar comunicando su estado reproductivo, su dirección de navegación o incluso su comportamiento a muchas otras dispuestas a escuchar y listas para acudir a una cita en medio de la vastedad más abrumadora del mar.

No todas las especies de ballenas son igualmente locuaces en su comunicación submarina. Las más extraordinarias son las ballenas jorobadas, con un canto agradable que dura hasta 30 minutos y se repite a veces durante horas. No se conoce otro mamífero marino con una actividad vocal tan rica y variada como la de esta especie. Las ballenas francas son más gruñidoras que cantoras. Los mensajes submarinos de esta especie se oyen más frecuentemente por las noches, no se organizan como un canto y se emiten en un rango de frecuencias de 30-2.100 Hz. Consecuentemente, la mayor parte de los sonidos de comunicación emitidos por las ballenas se circunscriben a un rango de frecuencias demasiado bajo para nuestros oídos.

El oído de las ballenas se encuentra sintonizado para las frecuencias de emisión de cada especie. Pero el mar no es un ambiente silencioso y los animales deben reconocer sus mensajes y discriminarlos de un fondo de ruido constante. Es claro que así lo hacen, dado que sonidos y comportamiento se correlacionan sugiriendo comunicación más que ruido emitido al azar. Es posible que los sonidos de estructura simple y predecible sirvan a los fines de la comunicación a distancia, mientras que los de estructura compleja y variable sirvan a los de comunicación entre individuos en un grupo social.

La utilización de sonidos por los mamíferos acuáticos no se limita a la comunicación entre individuos. Algunos delfines viven en aguas turbias en las que la vista no los ayuda para encontrar alimento o evitar obstáculos. Para orientarse, utilizan un sistema similar al de los murciélagos. El animal emite sonidos que rebotan contra objetos y vuelven al emisor como un eco. El cerebro hace el resto del trabajo, interpretando la señal de rebote y determinando la ubicación, distancia, dirección del movimiento y textura de los objetos.

No existe evidencia de que las ballenas hagan uso de un mecanismo de localización de objetos similar al de los delfines. Sin embargo, la precisión de sus movimientos en el agua sugiere que estos animales tienen una percepción detallada de su entorno. Aún queda mucha curiosidad por satisfacer con relación a cómo las ballenas oyen a su mundo.

Durante milenios las acciones del hombre tuvieron un alcance reducido. Las balas de los cañones caían a pocos centenares de metros, el mundo conocido terminaba en el horizonte. Pero un día los exploradores miraron más allá y sus decisiones superaron las fronteras. La fantasía de tirar al mar una botella, esperando que llegue a lugares remotos, sigue siendo posible. Pero hoy, el mensaje viaja enredado en la contaminación del océano junto a botellas sin mensaje. Ningún lugar está lo suficientemente lejos.

La Mancha que no es un Juego

Un distinguido profesor del Hospital Ramos Mejía de Buenos Aires decía que la Dermatología es la más importante de las ciencias médicas porque trata sobre aquellos órganos que les sirven a los humanos de presentación al mundo externo. Cada mañana, sustentaba su posición exponiendo a los estudiantes a un desfile de vitiligos, eczemas, impétigos y psoriasis que hablaban claramente a su favor.

Hoy no parece descabellado pensar que la salud es, en gran medida, una cuestión de piel. La radiación ultravioleta, que nos llega proveniente del Sol, manifestada en las caras bronceadas de veraneantes felices, es razón de preocupación. En estos días es tan común encontrar, en los anaqueles de las farmacias, bronceadores con propiedades mágicas sobre la melanogénesis como un arsenal de cremas "pantalla", pociones que deberían protegernos de la radiación en grado variable, según la disposición al riesgo del usuario.

¿Pero qué tiene que ver la Dermatología con las ballenas francas? Las ballenas tienen una piel delicada y fina. Esta vasta barrera que separa al animal de su entorno refleja el estado de salud de un individuo. Hacia los años 60, cuando comenzaron los estudios sobre la biología de esta especie en la Patagonia, prácticamente ninguna ballena indicaba tener, a través de su piel, problemas visibles de salud. Sólo llamaba la atención que algunos individuos tuvieran piel oscura mientras otros presentasen grandes superficies del cuerpo de color blanco o incluso rosado despigmentado, como si fueran albinos. Pero aparentemente estas variaciones de la pigmentación nada tienen de anormal en las ballenas.

Fue hacia el año 1980 que comenzaron a verse algunas ballenas con manchas blanquecinas, ovaladas, de 5 a 15 centímetros de diámetro y origen desconocido. Ya hacia fines de esa década, uno de cada tres adultos tenía estas marcas. Un mismo individuo podía llegar a tener veinte de ellas, confinadas a zonas del cuerpo expuestas al aire cuando un animal nada en la superficie. Hoy es relativamente común ver ballenas con este tipo de problemas en la piel. Las marcas no siempre duran de una temporada a la otra y afectan especialmente a hembras adultas, aunque también se las ha visto en crías. Desde el punto de vista dermatológico, no se trata realmente de manchas sino de lesiones que podrían describirse como erosiones con piel descamada, o incluso ulceraciones de forma y tamaño variables.

Hasta aquí los hechos. ¿Qué nos está diciendo este problema de la piel de las ballenas y qué efectos tiene para el individuo afectado? El profesor de Dermatología aconsejaría una batería de análisis y tal vez algunas interconsultas. Pero nuestras limitaciones para estudiar a las ballenas comienzan a llevarnos hacia el plano de la especulación y, como consecuencia, estas preguntas cruciales aún no tienen respuesta.

Algunos han propuesto la hipótesis de que las manchas podrían tener un origen infeccioso. Aunque no existe fuerte evidencia a favor, una infección concuerda con la rápida diseminación del problema en la población y la presencia de lesiones en las crías. ¿Cómo llegaron a infectarse las ballenas? La observación de un grupo de ballenas cercanas a la costa apunta a la gaviota cocinera como un potencial vector de enfermedades. Estas gaviotas comen la piel descamada y tal vez algunos parásitos que se desprenden de las callosidades de las ballenas. Pero algunos individuos no se conforman con las sobras y van decididamente a obtener la piel viva de la ballena, y también su grasa subcutánea.

Las gaviotas tienen un pico fuerte y punzante, y un comportamiento tenaz y osado. Individuos solos o en grupo, caen en picada o se apoyan sobre la espalda de una ballena para desprenderle trozos de piel y grasa, causándole heridas considerables. Las ballenas reaccionan entonces con violencia al hostigamiento, arqueándose y sumergiéndose. Pero la alteración de su comportamiento podría ser menos grave que la posibilidad de que las gaviotas les estén transmitiendo, a través de sus picos o patas contaminadas, agentes infecciosos. Una fuente plausible de agentes patógenos son los basurales donde frecuentemente se alimentan miles de gaviotas. Las marcas en la espalda podrían originarse como una herida causada por las gaviotas que luego se infecta y se extiende a una superficie mayor del cuerpo.

Las infecciones suelen afectar a individuos cuyos sistemas inmunitarios no los protegen de las afrentas originadas por compartir el ambiente con parásitos que causan enfermedades. ¿Se encuentran las ballenas expuestas a sufrir infecciones como resultado de una deficiencia inmunitaria? ¿Cuál podría ser el origen del problema? Se ha sugerido que el sistema inmunitario de algunos cetáceos podría afectarse por la acumulación de contaminantes en la grasa. Los contaminantes estarían presentes en el agua e ingresarían en el cuerpo de las ballenas a través de las presas que componen su dieta.

Los mamíferos marinos actúan como acumuladores de sustancias tóxicas. La cadena se iniciaría con un organismo pequeño que forma parte del plancton y que acumula en su cuerpo unas pocas moléculas de un contaminante presente en el agua. A su vez, los predadores de estos organismos concentran en sus cuerpos las sustancias nocivas que contenían sus presas. Cuando se llega al nivel de las ballenas, y debido a la cantidad de pequeñas presas que éstas ingieren, las sustancias tóxicas comienzan a acumularse en cantidades suficientes como para ocasionar manifestaciones adversas. La asociación entre contaminantes, depresión del sistema inmunitario y lesiones en la piel de las ballenas es especulativa. Justamente por eso la posibilidad de esta relación merece ser investigada.

¿Es posible que la permeabilidad de la atmósfera a las radiaciones ultravioletas, como resultado de la destrucción de la capa de ozono en las latitudes antárticas, tenga algo que ver con el problema que las ballenas manifiestan en la piel? La poca evidencia disponible indica que la asociación entre manchas y ozono es improbable. La presencia de marcas en crías de pocas semanas de edad, que no estuvieron demasiado expuestas a ningún tipo de radiación y que no llegaron a latitudes polares, sugiere que las lesiones de la piel de las ballenas no se relacionan con los problemas del ozono atmosférico.

Cualquiera que sea el origen de la patología, el punto es que algunas ballenas muestran signos de enfermedad de la piel. No sabemos la gravedad de esta enfermedad, no sabemos de qué enfermedad se trata y no tenemos un pronóstico. La investigación debería encaminarse hacia determinar de qué tipo de trastorno se trata, describiendo la piel lesionada desde el punto de vista histológico. Habría también que tratar de aislar posibles agentes infecciosos presentes. Se debería investigar si las gaviotas realmente son el enemigo o si se las libera de culpas y cargos apre-

surados. Mientras se llevan a cabo todas estas acciones, es importante determinar si existe evidencia de acumulación de tóxicos en la grasa de las ballenas. En el pasado la industria ballenera dictó el devenir de las ballenas. Hoy su futuro podría estar afectado por un problema mucho más insidioso, que pasa invisible a nuestros ojos, que no tiñe el mar de rojo, pero que llega hasta cada rincón, se entromete en cada organismo y enferma las ballenas.

"Yo no apruebo estos pasatiempos asesinos" –decía el capitán Nemo refiriéndose a la caza de la ballena. Pero otros hombres de mar no pensaban como Julio Verne en *Veinte mil leguas de viaje submarino* y se dedicaron a una depredación sistemática de un océano sin dueño.

DOS

DEL BALLENICIDIO A LA BALLENOFILIA

Comenzaba el siglo pasado y las palomas pasajeras eran las aves más abundantes que existían. Se las contaba por millones y, en las cálidas tardes del verano, sus bandadas oscurecían el cielo de América del Norte. Cuando el siglo XX se presentaba como una novedad, la caza brutal y la destrucción del ambiente las abatieron hasta la extinción. Las ballenas francas nunca fueron tantas y aún hoy, pueden estar viajando con el mismo rumbo.

La Cosecha de los Barriles Flotantes

La historia es una insinuación del pasado empobrecida de detalles. Sólo en la imaginación pueden evocarse olores, colores y sonidos que alguna vez dieron vida a la acción de hombres de otras épocas. Cuando hoy caminamos las playas del golfo Nuevo no encontramos razón para invocar imágenes de barcos persiguiendo a los ancestros de una ballena que nos pasa cerca bordeando la costa. Pero el explorador Francisco Moreno nos enfrenta a un pasado que no existe ni en la memoria de los viejos patagónicos: "La Bahía Nueva, cercana a Chubut, en otro tiempo era guarida de innumerables ballenas que alegraban con sus juegos de agua esa región solitaria; pero, un día, flotas de balleneros descubrieron el refugio, y testigos oculares me han contado que la mar tranquila del golfo estremecióse a impulso de los movimientos de esos animales, tan enormes como inofensivos, heridos por el arpón, y que las aguas cubriéronse de sangre y aceite. El instinto feroz de la bestia, que de cuando en cuando recuerda al hombre su origen, cambió en pocos días ese paraje en una escena de carnicería espantosa. La embriaguez de la sangre y del lucro pobló de enormes esqueletos de colosos la costa donde blanquean aún, y desde entonces domina el silencio, allí donde antes era todo alegría".

Aunque los balleneros no llegaron a llevárselo todo, las escenas descriptas para el golfo Nuevo se repitieron en casi cada rincón donde hubo ballenas. Y los protagonistas fueron hombres cuyas acciones no se sustentan en el espíritu de aventura, y deben buscarse tal vez entre las más primitivas e inconscientes de las debilidades humanas.

Malos augurios

El 11 de marzo de 1916, la nave *Horatio* se hundía en llamas mientras las olas de un mar helado detonaban en sus costados. Un remolcador la sacaba hacia mar abierto para sepultarla lejos del puerto de Leith, en las islas Georgias del Sur, con 1.100 barriles de aceite de ballena en sus bodegas. Desde la costa, 50 hombres presenciaban la futilidad de la vida, haciendo historia a partir de su propia desventura. El hielo, el viento, la niebla y el frío eternos daban un marco de desencanto a un evento que ocurría en un paraíso no pensado para hombres, que iba a convertirse en el infierno de por lo menos 175.000 animales transformados en 9.000.000 de barriles de aceite en poco más de medio siglo.

Una embarcación ballenera cayendo en llamas al fondo del mar podría tomarse como un presagio del dramatismo de los 50 años siguientes de actividad ballenera en los mares antárticos. La historia había comenzado cuando la caza de ballenas con fines de subsistencia se transformó en una actividad comercial. Las primeras en caer fueron las ballenas francas, luego los grandes rorcuales, especialmente la ballena azul. Hoy los balleneros se conforman con las especies más pequeñas, como las ballenas minke. Las futuras generaciones verán con desagrado la manera como sus ancestros trataron a los mamíferos del mar. Y es posible que la sociedad del mañana aún tenga de qué avergonzarse cuando de ballenas se trate.

Conspiración contra la ballena franca

Alguna vez hubo tantas ballenas francas retozando en las aguas costeras que navegar en algunos mares era como una pesadilla. La abundancia fue un factor que condenó a las ballenas francas a ser la especie apropiada para sucumbir a la caza. Además de ser lentas y costeras, estas ballenas producen buena cantidad de aceite y barbas y se mantienen a flote cuando están muertas, facilitando la tarea de recuperación y transporte al lugar de procesamiento.

Como consecuencia de ser la ballena adecuada para cazar, por lo menos 100.000 animales terminaron convertidos en aceite durante el siglo pasado. Esta cifra no incluye a los individuos que murieron luego de escapar malheridos. Si colocásemos en fila un animal tras otro, cola con cabeza, 100.000 ballenas cubrirían una extensión de 1.500 kilómetros, aproximadamente la distancia que separa Puerto Madryn de Buenos Aires. Sólo en cinco años, entre 1835 y 1839, se capturaron en el Pacífico Sur por lo menos 14.000 ballenas francas australes, cuatro veces más que la población estimada actual de esa especie en todos los mares.

Hacia fines del siglo XVIII, otras ballenas también pasaban momentos difíciles. La ballena gris se había extinguido en el océano Atlántico como consecuencia de la caza. Pero aún quedaban poblaciones saludables de esta especie en el océano Pacífico. Las ballenas francas, por el contrario, fueron arrasadas en todos los mares y costas protegidas del mundo.

La ausencia, la falta, el vacío, es el legado de decenas de generaciones balleneras. Insensato, absurdo, disparatado, incoherente, irracional, desatinado, inhumano. No alcanzan los calificativos para describir las acciones que se han llevado a cabo durante los destructivos siglos de explotación de los mamíferos del mar. No existen justificativos que palien responsabilidades. No vale decir que era otra época y que había otros principios. No alcanza pensar que fue producto de la ignorancia. No importa argumentar que podía ser necesario para la vida de muchas personas. Es difícil encontrar atenuantes para la insensatez.

Unidad ballena azul

Si la crónica de hechos que casi culminan con la extinción de la ballena franca austral provoca consternación frente a tanta insensibilidad, la historia reciente de la ballena azul colma la paciencia. Los primeros decenios de este siglo vieron desaparecer a por lo menos 330.000 ballenas azules en menos tiempo de lo que dura una generación de estos animales. Se eliminaron hembras con cría, hembras preñadas, hembras jóvenes y cualquier otra ballena de cualquier especie que sirviera para llenar un barril más de aceite.

Los países balleneros explotaban un negocio cuya ganancia llegó a equipararse con las más prósperas actividades comerciales de los últimos siglos. Noruega dominaba los arpones y Gran Bretaña los mercados. La competencia llevó al perfeccionamiento de técnicas de captura, a la explotación de nuevos mares y al desarrollo de estrategias comerciales donde la diplomacia fue muchas veces superada por la coerción.

Cuando los mercados estuvieron inundados de aceite, el precio del producto cayó. Entonces, hasta los más reacios a ponerse límites aceptaron que debía implantarse algún control en la industria. Parecía haber llegado el momento histórico de acordar un cupo de captura en una actividad que tradicionalmente se había desarrollado sin restricciones. El concepto de unidad ballena azul o *blue whale unit* (BWU) fue un producto de lo que parecía ser un cambio de actitud.

La BWU fue una manera de expresar un cupo de captura en términos de producción de aceite. Los balleneros podían matar tantas ballenas como fuera necesario hasta llegar a la producción pactada en BWU. No importaba la especie y su estado de vulnerabilidad sino la simple relación por la cual una ballena azul, que producía poco más de 100 barriles de aceite, equivalía a dos rorcuales comunes de 50 barriles cada uno, a dos y media ballenas jorobadas o a seis ballenas sei. Como las bodegas se llenaban más rápido con ballenas azules que con cualquier otra especie, la BWU le puso un alto valor a esta especie y marcó su futuro.

La BWU fue una medida para proteger intereses económicos detrás de una cuota de captura que sentenció a muerte a las pocas ballenas azules que aún quedaban, al tiempo que aseguraba a las compañías balleneras mantener un nivel de producción con márgenes redituables. Pronto los números no cerraron. En la temporada de 1965 los balleneros encontraron y mataron sólo 20 ballenas azules. Unos pocos años después se declaró a la especie comercialmente extinguida.

La fiebre de las ballenas llega hasta la Antártida

El capitán Carl Anton Larsen había visto tal abundancia de animales en el océano Antártico que generó el interés empresarial para crear la Compañía Argentina de Pesca. A fines de 1904, superó las inclemencias de un mundo hecho a la medida de las ballenas e instaló la primera planta terrestre para la producción de aceite en las islas Georgias del Sur. Otros noruegos como él armaron barracas y galpones, alistaron calderas, descargaron toneladas de carbón, prepararon rampas y montaron digestores de grasa. Toda esta actividad en un ambiente donde la lluvia o la nieve están presentes en cuatro de cada siete días de la semana. Un mes más tarde se había capturado la primera ballena y horas más tarde se la había convertido en un poco de aceite y muchos desperdicios.

En los primeros años de la actividad, cuando las ballenas todavía parecían inagotables, las plantas de procesamiento desechaban todo lo que no fuese grasa. Se malgastaba así la mayor parte del animal. Pocas veces en la historia del uso de los recursos naturales se cometieron derroches de semejante magnitud. Pero la cantidad de ballenas y cachalotes en esas costas era tal que la única restricción para la producción de aceite la imponía la capacidad procesadora de la fábrica y el número de barriles disponibles.

La noticia de bodegas repletas de barriles con aceite pronto llegaría a Noruega y a Gran Bretaña, alertando a otras compañías que comenzaron a mirar hacia el Sur con intenciones comerciales. Los números son el mejor reflejo del éxito de la empresa iniciada por Larsen: 87.555 ballenas fin, 41.515 ballenas azules, 26.754 jorobadas, 15.128 sei, 3.716 cachalotes y 582 francas.

La fiebre por las ballenas antárticas no se detuvo en las islas Georgias del Sur. En pocas décadas, la *Terra Australis Incognita*, como los primeros navegantes conocieron a la región antártica, se vió privada de 1.432.862 cetáceos, entre ballenas de varias especies y cachalotes. Cuando la abundancia fue historia, los balleneros se retiraron de esos mares ultrajados, legando al futuro barracas abandonadas, hierros retorcidos y aguas vacías.

Tecnología para la devastación

Afirmado en la proa, un arponero arrojaba su arma con toda su alma, apuntando detrás del ojo de la ballena. El animal herido se retorcía y se sumergía buscando refugio en el fondo del mar. La ballena escapaba hasta quedar sin aire o sin sangre, pero el arpón la unía a la embarcación de sus enemigos. Debilitada, emergía exhausta para recibir la muerte que le llegaba a golpes de lanza. En su exhalación final, el animal salpicaba sangre a borbotones. Los balleneros estaban sucios, mojados, malolientes, aterrados por la violencia que ellos mismos engendraban.

Pero esta visión dramática de la caza no fue justamente la que predominó durante los años más insidiosos de la actividad ballenera. A lo largo de siglos de matanzas ocurrieron mejoras técnicas que aumentaron la eficiencia de las capturas y disminuyeron el contacto con el arpón y con la sangre. En 1872, los noruegos patentaron un arpón consistente en una granada de 11 kilogramos de hierro conteniendo en su interior 0,5 kilogramos de pólvora. Toda la estructura medía aproximadamente 2 metros y se disparaba con un cañón ubicado en la proa de una embarcación rápida y maniobrable. El arpón se ataba a una cuerda que lo unía a la embarcación. La punta estaba atornillada a un vástago con alerones rebatibles para evitar que el animal se escapase o hundiese. Cuando todo salía bien, la granada detonaba en el cuerpo de la ballena matándola en instantes. Cuando no salía tan bien, la ballena moría con lentitud y terminaba sepultada en cientos de metros de agua que ocultaban el desperdicio.

La segunda innovación tecnológica fue el buque factoría. Antes de que las popas de los barcos se hicieran rebatibles para cargar ballenas hasta una plataforma de trabajo, los animales debían ser remolcados hasta las estaciones terrestres o hasta las plantas de procesamiento flotantes. Estas últimas eran barcos de carga transformados en fábricas para producir aceite de ballena. Operaban cerca de la costa y tenían más limitaciones que las plantas terrestres debido a la falta de espacio a bordo.

Pero los buques factoría no tenían problemas de espacio y permitieron cargar ballenas enteras a bordo. La autonomía de estas embarcaciones les permitió operar en alta mar, facilitando la captura de ballenas que no estaban al alcance de las explotaciones costeras. Se rompía así el cordón umbilical que ataba a la actividad ballenera a la costa o a puertos de aguas tranquilas.

El arpón explosivo y el buque factoría pusieron fin a las pretensiones de una vida de riesgos y coraje plasmada en la literatura romántica del siglo pasado. ¿Dónde está la bravura de dispararle con un cañón a una ballena desde la cubierta de un buque? ¿En qué elementos se apoya el romanticismo con el que se intentó dignificar a los balleneros? El coraje, el riesgo y la inclemencia de la vida marina no fueron justamente los rasgos que mejor caracterizaron a la industria ballenera durante este siglo, la etapa más fatídica desde que los vascos comenzaron a cazar ballenas francas en el océano Atlántico Norte.

¿A QUIÉNES BENEFICIÓ LA INDUSTRIA BALLENERA?

La caza de ballenas nunca benefició a muchos. De regreso a puerto, luego de un viaje que a veces duraba años, los marineros eran tan pobres como cuando habían salido. No así los armadores, capitanes y oficiales de los mismos barcos. El sacrificio personal de la oficialidad se motivaba en el interés económico, y tal vez en el placer del poder. El capitán de un buque ballenero en alta mar era dueño y señor. El viejo dicho de los capitanes balleneros sintetiza su filosofía: "Cuando estoy en tierra yo me debo a Dios Todopoderoso. Cuando estoy en el mar yo soy dios todopoderoso".

La industria ballenera tampoco produjo un beneficio constante para la sociedad. Es cierto que cuando el petróleo aún no era el combustible de elección, la madera era costosa y poco abundante, el carbón comenzaba a escasear y la energía atómica no era ni parte de la ficción, el aceite de ballena iluminó las veladas y más tarde movió los engranajes de una sociedad sumida en el cambio profundo de la Revolución Industrial. Pero durante la Primera Guerra Mundial, la industria ballenera no apuntó sus arpones para contribuir al bienestar humano. La razón para cazar ballenas no tenía sólo que ver con la producción de sustitutos de la manteca o la elaboración de jabón. Durante esa guerra, el aceite de ballena fue utilizado para fabricar dinamita a partir de la nitroglicerina. Los arponeros cobrában un incentivo por cada ballena que mataban, no importaba edad, sexo, especie o condición reproductiva. Miles de ballenas padecían las consecuencias de la historia humana, indiferentes y ajenas a sus motivaciones subyacentes.

No se necesitan cualidades intelectuales superiores para concluir que el desenfreno termina quebrantando no sólo a las ballenas sino a cualquier otra forma de vida. La intuición o el sentido común nos llevan indefectiblemente a concluir que el abuso de la naturaleza es insostenible. Pero los intereses económicos fueron más persuasivos que la intuición, el sentido común o incluso que la evidencia. En una lucha abierta, que parecía dirigida a destruir a las ballenas, a todos se les olvidó que no eran infinitas.

Las reuniones de la Comisión Ballenera Internacional son año tras año casi idénticas. Los documentos, los diplomáticos, las estrategias; todo se parece. Es la hora señalada donde los intereses y las relaciones conviven junto a las presiones y al poder. Allí, disimuladas entre el barroco de las paredes y los temas importantes, a veces también están las ballenas.

Sobre Acuerdos y Buenas Intenciones

Honores por ser francas

Durante siglos no hubo autoridad mundial admitida que pusiera freno a los balleneros. Aunque el aceite de ballena inundase los mercados, el interés por cazarlas no mermaba. Si una población se agotaba se buscaba otra o se comenzaba a capturar una especie que, hasta el momento, no había tenido valor comercial. Las medidas de protección comenzaron a llegar cuando algunas ballenas, como las francas, estaban al borde de la extinción. Impresiona entonces la lista de distinciones en letra mayúscula que se sucedieron.

En la década del 30, la Convención para la Reglamentación de la Caza de Ballenas prohibió la captura de ballenas francas. A fines del 40, la recién creada Comisión Ballenera Internacional (CBI), el máximo organismo mundial que alguna vez haya existido para la regulación de la actividad ballenera, le otorgó protección total. La Convención Internacional sobre el Comercio de Especies Amenazadas de Flora y Fauna (CITES) prohibió toda acción de comercio internacional que la afectara. Por último, la Unión Internacional para la Conservación de la Naturaleza (UICN) la ubicó en la categoría de Vulnerable en el Libro Rojo de las Especies en Peligro de Extinción.

La Argentina no se quedó rezagada en las acciones proteccionistas. A nivel internacional, fue uno de los países promotores de la creación de la Comisión Ballenera Internacional. A nivel local impulsó la conservación de las ballenas francas en aguas nacionales y provinciales. El Congreso Nacional declaró a la especie Monumento Natural. Aun antes, la Provincia de Chubut tomó una decisión histórica. En 1974, declaró al golfo San José Parque Marino Provincial con el fin de responder tempranamente a las necesidades de protección de la ballena franca.

¿La profusión de buenas intenciones otorga una real protección a estas ballenas? Entre 1950 y 1973, período durante el cual la especie estaba "protegida", Brasil capturó 350 ballenas francas australes en sus aguas costeras. En 1993, el Consejero Especial del Presidente de Rusia en temas Ecológicos y de Salud declaró que la ex Unión Soviética había capturado ballenas de especies en peligro de extinción en lugares prohibidos. Así se supo que, entre 1965 y 1967, los balleneros soviéticos habían matado por lo menos 300 ballenas francas boreales, posiblemente la especie expuesta a mayor riesgo de extinción de todas las ballenas. En la misma década se cazaron también ballenas francas australes en el Atlántico Sur. ¡Se mencionan 1.200 individuos de esta especie capturados entre 1961 y 1962!

Aunque seguramente existían sospechas de transgresiones a las normas internacionales, la CBI seguía negociando cupos de captura y estimando tamaños de poblaciones a base de datos oficiales de los países balleneros. Es así que algunas decisiones de la CBI, así como sus estimaciones del estado de las poblaciones, se basaron en datos falsos, carentes de sustento científico. La ballena franca austral podrá ser una especie protegida por una batería de tratados que no permiten cazarlas sin ofender a los países que promueven su conservación. Sin embargo, en alguna medida, las aguas internacionales siguen siendo agua de nadie, donde rigen el caos y el poder del más osado.

Si los tratados entre países no aseguran su protección en aguas internacionales, ¿están las ballenas francas protegidas por lo menos en las aguas de jurisdicción argentina? La figura de Monumento Natural no ha sido, hasta la fecha, refrendada por ninguna de las provincias con jurisdicción sobre la franja de costa donde las ballenas pasan la mayor parte de su tiempo. Santa Cruz, Río Negro, Tierra del Fuego y Buenos Aires ni siquiera acusan la presencia de las ballenas en sus costas con una reglamentación acorde con una especie vulnerable a la extinción. En consecuencia, y desde una perspectiva práctica, la importancia de ser Monumento Natural queda limitada a las aguas de jurisdicción nacional.

En la Provincia de Chubut, la ley constitucional que creó el Parque Marino Golfo San José fue rápidamente modificada. En 1979, durante un gobierno militar, se permitió el desarrollo de alternativas económicas basadas en recursos naturales existentes en los lugares de reproducción de las ballenas. Se perdió así la intangibilidad del golfo. Hasta el momento de la publicación de este libro, la ley modificada rige sobre la constitucional, las actividades de desarrollo en el Parque Marino son cada vez más numerosas e importantes y el impacto sobre las ballenas cada vez más evidente.

La expectativa de salvar a las ballenas

Todos los años, las reuniones de la CBI terminan con la frustración del mundo preocupado por la conservación de las ballenas originada en la posición de algunos países dispuestos a seguir cazándolas con fines comerciales. Pero la CBI no fue creada para proteger a las ballenas. No se deben entonces esperar medidas de conservación sin intenciones comerciales por parte de una organización cuya razón de ser fue salvaguardar las ambiciones de las naciones balleneras.

El funcionamiento de la CBI evidencia su verdadero propósito. Ningún país, sea o no ballenero, está obligado a pertenecer a la CBI. Si un país signatario resuelve que las decisiones tomadas afectan sus intereses económicos, podría no atenerse a los acuerdos a los que hayan llegado los demás países. La capacidad de fiscalización de la CBI es además muy limitada, dependiendo para sus decisiones de la veracidad de los informes de los países balleneros.

A pesar de sus debilidades, es preferible que exista una CBI antes que abandonar a las ballenas que aún quedan al desenfreno del país ballenero de turno. La CBI es, por lo menos, un intento de organizar la explotación de un recurso que no es de nadie. La vulnerabilidad de la CBI es común a muchas otras iniciativas y tratados internacionales y por ello seguirá siendo la arena de lucha donde se tejen manejos políticos comparables a los de las negociaciones diplomáticas más enrevesadas de nuestra compleja sociedad moderna. Y las ballenas seguirán dependiendo de decisiones políticas. Una enseñanza que se desprende del accionar de la CBI es que "salvar a las ballenas" no es una ideología de consenso, sino que debe forzarse en contra de intereses a veces escudados detrás de tradiciones anacrónicas.

La naturaleza es un acantilado que refleja la luz débil del Sol. En silencio, nuestro espíritu le abre sus puertas y se enriquece segundo a segundo. Pero si se tratara de una ballena rodeada por cientos de personas, con barcos y botes girando alrededor, ¿qué sería del sonido del viento y de las aves, del agua deslizándose suave sobre el lomo inmóvil?

La Industria de Observar Ballenas

Contacto con seres curiosos

El bote inflable se detiene a 50 metros de la ballena. Expectantes, nos aferramos a la borda mientras tratamos de descifrar la actitud del animal. Lentamente, la ballena gira en dirección a la embarcación. El agua produce un remolino alrededor de la cola y la vemos desplazarse hacia nosotros, hundirse y desaparecer. En silencio dejamos que nos invada una sensación de preocupación contenida. ¿Adónde está?, ¿qué va a suceder?, preguntamos con los ojos.

Pasan los segundos y nos esforzamos por ver una silueta negra a través del agua. No sabemos qué esperar. Sin preaviso, justo allí donde nadie estaba mirando, emerge una cabeza a metros del bote y se oye una espiración cavernosa que nos sobresalta. La ballena vuelve a sumergirse y esta vez pasa nadando por debajo del bote, como inspeccionando el casco. Podemos entrever al animal observándonos mientras el cuerpo interminable desfila relajado ante nuestra mirada incrédula. A bordo volvemos a vivir un momento de incertidumbre y algo de miedo. Ya no somos más el centro del universo y el Sol se ha transformado en una ballena.

Con movimientos medidos y sutiles el animal se desliza sin tocarnos, como una sombra en el abismo. Nos inspecciona una y otra vez. Nuestra incertidumbre se disipa y se reemplaza por el asombro absoluto. Nunca vivimos una experiencia semejante. Estamos a la merced de un animal que podría dañarnos fácilmente, pero que en vez se muestra dócil y amigable. De improviso la ballena asoma la cabeza una vez más y apoya delicadamente el mentón sobre la borda del bote. Allí se detiene expectante. La invitación a tocarla es irresistible. Alguien lo hace y la reacción es inmediata: la ballena se sumerge y se aleja.

Como humanos estamos acostumbrados a que prácticamente todos los animales escapen ante nuestra presencia. Pocas especies muestran curiosidad por nosotros. Pero las ballenas, por lo menos algunas de ellas, nos ofrecen la oportunidad de establecer un vínculo singular, aunque más no sea pasajero. Estas vivencias son las que transforman a las personas en entusiastas protectores de ballenas.

Los descubridores de ballenas

Es difícil creer que experiencias como la que acabamos de describir sean relativamente recientes en nuestra larga relación con los cetáceos. Pero en la Patagonia, hace poco que las ballenas fueron descubiertas como atractivos naturales. En los años 60, ellas visitaban los imperturbados golfos de la Península Valdés como lo venían haciendo por lo menos desde que guardamos memoria. Pero el evento era casi un secreto de algunos patagónicos de sangre, más interesados entonces por animales que se podían esquilar que por otros que eran vistos como una complicación y, cuanto más, podían rendir, con enorme esfuerzo, un poco de aceite nauseabundo.

Todavía a principios de los 70, los que compartían el secreto contemplaban incrédulos, desde la costa, cómo algunas frágiles embarcaciones se acercaban a las ballenas con cautela mientras los que estaban a bordo recreaban escenarios de monstruos blancos, chalupas naufragadas y capitanes con piernas de palo. Pero como Moby Dick no aparecía, la noticia de ballenas mansas en aguas mansas se derramó con rapidez. Los acontecimientos se precipitaron y pronto el mundo extrapatagónico supo que algo especial pasaba en las costas de la Península Valdés. Comenzaron entonces a llegar al sur aventureros interesados en acercarse pacíficamente a los animales que hacen parecer al océano abarcable. Los guías balleneros locales, armados de intuición y buena voluntad, trataban de satisfacer la curiosidad de los visitantes, y la suya propia, aproximándose a las ballenas hasta distancias prudenciales. Humanos y ballenas ensayaban maneras de entablar una relación inofensiva y plácida que no tenía antecedentes en estas aguas. Algunos terminaban mareados, otros mojados, pero todos invariablemente afirmaban haber vivido uno de los mejores momentos de sus vidas.

En los 90, ya no queda patagónico que no se haya permitido distraer su atención del lanar poco despierto a las ballenas saltadoras. El turismo se tornó en una forma incuestionada de utilización de la fauna autóctona, que tiene más valor sosteniéndose en sus aletas que convertida en objeto de emprendimientos más drásticos. La Península Valdés se convirtió en una nuevo destino para los avistadores de ballenas. Pero el constante incremento en el número de personas embarcadas para acercarse a las ballenas es una buena noticia sólo según la perspectiva con la que se lo mire.

En 1990 fueron 16.000, en 1994, 44.000 y en el 2.000 bien podrían ser 100.000 los que visiten la Patagonia atraídos por sus ballenas. En juego está el encanto de una experiencia que empezó como un descubrimiento y arriesga convertirse en una rutina. Si el avistaje de ballenas se torna una actividad masiva perderá su esencia sensibilizadora. Más aún, es apropiado tener en cuenta que cuando se trata el futuro de esta actividad hay que considerar que la misma involucra a dos partes, y que las ballenas no son la menos importante.

No existe información incontrovertible sobre el efecto de las embarcaciones sobre la vida de las ballenas. Pero si esperamos tener evidencia irrefutable de que existe un problema, podríamos llegar tarde para eliminar los efectos indeseables. El principio de precaución nos indica que cuantas menos hélices y cascos de barcos haya en el agua menos probable serán los potenciales disturbios. Es obvio que el avistaje tiene necesariamente un impacto menor sobre las ballenas que un arpón que estalla en el cuerpo de una cría. Pero miles de aproximaciones de embarcaciones a hembras en pleno período de reproducción afectan el comportamiento y podrían llegar a ahuyentar a las ballenas.

Las ballenas valen oro

Dejando de lado los aspectos educativos y sensibilizadores de la actividad, el avistaje de cetáceos es además un buen negocio. Puesto en una perspectiva internacional, la actividad se efectúa hoy en 65 países y cada año se agregan nuevos. En 1994, 5.400.000 observadores de ballenas y delfines generaron en el mundo por lo menos U$S 120.000.000 en ingresos sólo en gastos de pasajes para embarcarse en los botes de avistaje. Las cifras ascienden a los U$S 500.000.000 si se tienen además en cuenta los gastos estimados de viaje y permanencia. Esto equivale, en importancia económica, a la captura de centenares de ballenas. Pero con una diferencia: las ballenas que se avistaron una vez pueden volver a verse muchas veces más.

La Patagonia es uno de los lugares donde el avistaje se está convirtiendo, con rapidez, en una actividad próspera. El turismo sustentado por ballenas, elefantes y lobos marinos, pingüinos y otras especies de la fauna local representa, para la Provincia de Chubut, una fuente millonaria de recursos. Poder obtener provecho de los recursos naturales es una buena razón para conservarlos. Pero la única manera responsable de proceder con el avistaje de ballenas es sacar el máximo beneficio con el menor impacto posible para que el beneficio dure mucho tiempo.

En países con trayectoria en este negocio, la reglamentación que regula la actividad obliga a las embarcaciones a intentar mantener una distancia y posición, con respecto a los animales, que no altere el rumbo y el estilo de desplazamiento de estos últimos. Los cambios bruscos en la dirección o velocidad de desplazamiento y las inmersiones prolongadas se consideran una disrupción del comportamiento. Las reglamentaciones prohíben interceptarle el rumbo a una ballena, hacer aproximaciones frontales o acercarse intencionalmente a distancias de hasta 500 metros, según la especie. Algunas regulaciones también limitan el tiempo de permanencia de una embarcación en las inmediaciones de una ballena y exigen que la actividad se realice con un fin educativo.

La reglamentación que rige el avistaje en la Provincia de Chubut se ocupa de los mismos aspectos esenciales que afectan la actividad en otros países. De hecho, Chubut ha conseguido regular mejor el avistaje que en otras partes del mundo. Por ejemplo, los responsables de acercar las personas a las ballenas son profesionales, con amplia experiencia e interés por su actividad. Esto evita que, durante la temporada de ballenas, decenas de embarcaciones privadas, a cargo de inexpertos en el acercamiento a una ballena, rodeen a cada animal accesible. Sin embargo, aún queda mucho por mejorar antes de asegurar que las ballenas francas de las costas de la Península Valdés están bien protegidas.

¿Y ahora qué hacemos?

En primer lugar, es imperativo proteger, en los hechos, algunas áreas de los golfos Nuevo, San José y San Matías donde las ballenas se reproducen. Esas zonas deberían habilitarse sólo al turismo interesado en avistar ballenas desde la costa, pero no deberían dedicarse a la navegación de ningún tipo.

En segundo lugar, es aconsejable promover un estilo de avistaje más respetuoso hacia la ballena. La embarcación debería avanzar con cautela desde la salida misma del puerto, dándole tiempo al animal para responder a su presencia. Las madres con cría son especialmente vulnerables y habría que extremar las precauciones con relación a ellas. Si la ballena no decide investigar por su propia iniciativa, no se debería seguir intentando el avistaje.

En tercer lugar, no habría que generar en los turistas expectativas contrarias a la conservación con campañas publicitarias en las que se muestran embarcaciones tan cerca de las ballenas que sus ocupantes podrían tocarlas. Es improbable que alguien que se embarque por algunos minutos una vez en su vida se encuentre justamente con la ballena más curiosa del lugar. Lo más común es que se encuentre con una madre que intenta proteger a su cría alejándose de todo peligro potencial.

Todos se benefician con una estrategia de manejo de la actividad turística que gire en torno a la conservación de las ballenas. Los prestadores de servicios se aseguran el máximo provecho para sus inversiones, los guías balleneros realizan su tarea profesional con menos presiones por colmar expectativas sobredimensionadas, los turistas se llevan una de las mejores experiencias que la Patagonia puede darles, los gobernantes dan un ejemplo de manejo de una especie amenazada y todos tendríamos ballenas para rato.

Mientras se progresa hacia el avistaje ideal, embarcarse hoy para ver ballenas debería ser una decisión mejor pensada. No conviene perderse la experiencia, pero debería tratarse de que ésta sea aceptable tanto para el observador como para la ballena. Acercarse a una ballena en su medio natural termina, indefectiblemente, con la reconfortante sensación de haber hecho algo diferente. Pero la acción no debería representar una imposición del ser humano hacia la ballena sino un intento de descifrar secretos que el mar conoce mejor que cualquiera de nosotros.

Si para todo hay término y hay tasa

y última vez y nunca más y olvido.

¿Quién nos dirá de quién, en esta casa,

sin saberlo, nos hemos despedido?

Límites. El otro, el mismo.

J. L. BORGES

TRES

ALGUNAS IDEAS PARA COMPARTIR EL MUNDO CON LAS BALLENAS

Los sueños de Roger. En este mundo, en otros, entre las nubes. Búhos y delfines. Gente, la música del cello y la lucha por salvar un grano de arena. Los libros, las ideas... Todo en un instante, sentados mirando como se acerca la tarde a las ballenas en una playa que alguna vez llamaron La Adela.

Cuatro Peines

Ese día de julio de 1969, Raymond Gilmore, del Museo de Historia Natural de San Diego, no imaginaba que su observación casual iba a tener efectos perdurables. A bordo de un buque de investigaciones y rumbo a la Antártida, Gilmore avistó 25 ballenas francas australes en el golfo Nuevo. Sus cualidades como cetólogo eran entonces tan insólitas que lo convertían a él mismo en una curiosidad. Pero su conocimiento de las ballenas le permitió entender que estaba frente a una especie difícil de encontrar y mucho menos a varios individuos juntos.

Puerto Madryn tenía entonces unos pocos miles de habitantes. Gilmore habló con algunas personas del pueblo: maestras, buzos, antiguos pobladores de la zona. Constató así que la presencia de ballenas francas en el golfo Nuevo era una novedad sólo para él. El arribo de las ballenas cada otoño parecía significar, para los madrynenses, un equivalente a una buena lluvia que aplaca un poco la aridez de las desérticas costas de estas latitudes: algo que no ocurre todos los días pero que tampoco deja de ser relativamente trivial. Se necesitaron ojos nuevos, tal vez tan acostumbrados a ver lluvia como ballenas, para que el fenómeno del golfo Nuevo se pusiese en una perspectiva diferente.

Gilmore publicó su relato y la noticia llegó eventualmente hasta un apartado laboratorio de una pequeña ciudad cercana a Boston. Allí trabajaba y vivía uno de los estudiosos más imaginativos con que contaba la nueva ciencia de la cetología. Roger Payne captó al vuelo los ecos de la historia de Gilmore, distrajo por unos segundos su vista de los símbolos indescifrables que tenía delante, apagó el grabador de cinta con 6 horas de registros de cantos de ballenas jorobadas y llamó por teléfono a la Sociedad Zoológica de Nueva York, para la cual trabajaba en proyectos de conservación.

No necesitó insistir demasiado para lograr el apoyo necesario para un viaje de exploración a la Patagonia. La decisión estaba en manos de William Conway, director de la Sociedad Zoológica, quien ya tenía gran apego por la Patagonia como resultado de sus visitas al lugar. Tres meses más tarde, en septiembre de 1970, ocurría el primer encuentro entre Roger y una ballena franca austral. A esos días le siguieron 25 años ininterrumpidos de un esfuerzo corporativo que, teniendo como centro de actividades a la estación científica llamada Campamento 39, involucró a investigadores, estudiantes, naturalistas, escritores, pilotos de avión, buzos, camarógrafos, benefactores, autoridades del gobierno, parientes y amigos personales, trabajando bajo el paraguas de la Sociedad Zoológica, la National Geographic Society, el Museo Argentino de Ciencias Naturales y el Gobierno de la Provincia de Chubut. Los que trabajaban en el campo y los que los apuntalaban administrativamente desde las ciudades compartían un objetivo común: nunca más dejar a esas ballenas que visitaban la Patagonia libradas a la histórica mala suerte de sus ancestros recientes.

Roger es un hombre insólito. Sus principios no siempre parecen de este mundo. Su visión de algunos fenómenos naturales desmayaría a muchos biólogos moleculares y, en la caída, arrastraría a unos cuantos teóricos de la ciencia. De Roger se ha dicho que es un excéntrico con un avasallante poder de convicción y una seguridad en sí mismo que inspira temor. También se lo ha considerado un egoísta, un temerario, un extremista de la conservación, un genio carismático, un hablador y un gran maestro. Nosotros pensamos que definirlo es más fácil de lo que parece. Roger es un gran desubicado en este mundo y, como tal, una fuente inagotable de inspiración... y de ideas estrafalarias que a veces parecen desafiar las leyes de la Física.

Su estilo no pasa desapercibido. Alto, de andar distinguido y personalidad distraída, suele siempre dar la impresión de estar al borde de un gran descubrimiento. Un día se acercó al mostrador de un pequeño hotel patagónico para dejarle un mensaje a un amigo. La conserje reparó inmediatamente en una de las características físicas más invariables de su persona: sus pocos pelos lacios totalmente parados, como atraídos por el cielo. En un castellano que entonces era un tanto accidentado, la conserje recibió un mensaje oscuro rematado por un nombre y apellido claramente ajeno a su hemisferio. Guardó celosamente en la memoria lo que creyó era la idea central del mensaje hasta que pudo transmitírsela al amigo de Roger: "... vino a buscarte un señor con todos los pelos de punta que dice llamarse Cuatro Peines..."

Una preocupación constante en la vida de Roger es hacer llegar su encanto por las ballenas a toda la humanidad. Su método es claro: crear la necesidad de conservar a través de la fascinación. Poco después de su primera visita, se publicaron algunos artículos en el *National Geographic* en los que William Conway y Roger ponderaban la "Increíble Fauna de la Argentina", como se llamó uno de los escritos. El paisaje patagónico y las ballenas de piel oscura nadando a pocos metros de la costa en un mar verde esmeralda cautivaron a millones.

Roger es un pensador solitario poco proclive a basar su vida en las ideas de otros y, por ello, no todo lo que gira a su alrededor está tocado por el ideal de la cooperación. A veces da la impresión de que cuantos más aciertos logra más solo se encuentra en su vida. Sin embargo, su éxito es parcialmente compartido. Mientras Roger viajaba desde el mundo hacia la Patagonia y de vuelta al mundo, algunos naturalistas argentinos también miraban hacia el Sur. Ellos aportaron la versión *Made in Argentina* a la historia sobre ballenas francas que hoy conocemos. Con la perspectiva de 20 años transcurridos, los cetólogos locales, como los auténticos pioneros intelectuales, invirtieron sus vidas en un aspecto de las ciencias biológicas para el cual la Argentina no era justamente el lugar académicamente más estimulante. Cuando Ricardo Bastida y Victoria Lichtschein discutían sobre los pros y contras del avistaje de ballenas en la Península Valdés, sus colegas les respondían con una mirada patética. Cuando Guillermo Harris y Carlos García censaban ballenas desde la costa, y publicaban el primer libro sobre la especie con fines de divulgación y conservación, los turistas eran tan pocos que casi se los conocía por sus nombres. Al mismo tiempo, los biólogos norteamericanos Vicky Rowntree, Chris Clark, Judy Perkins y Peter Thomas producían los mejores estudios sobre el comportamiento de las ballenas que existen hasta la fecha. La historia natural de las ballenas se fue contruyendo a través de caminos transitados por unos pocos audaces que podían no coincidir en muchas cosas pero que indudablemente compartían la fascinación por estos animales.

El aspecto crucial del trabajo de Roger en la Patagonia es la identificación de individuos a través de marcas naturales que permite conocer su historia de vida. Él desarrolló un método que fue luego empleado en otras especies, permitiendo expandir el conocimiento general de la biología de las ballenas. Su trabajo muestra que las ballenas pueden ser objeto de estudios científicos rigurosos. La paradoja es que la conclusión se derive del ejemplo de quien ha sido, a veces, criticado por ser efectista en su interpretación del comportamiento animal.

Un sueño de Roger es poder mirar a una ballena tranquilamente durante horas, tanto desde el aire como debajo del agua. Él nunca se conformó con volar sobre una ballena por algunos minutos, sacarle algunas fotos y trabajar, el resto del año, en el laboratorio. Invirtió asombrosos esfuerzos, hoy parte del anecdotario patagónico de los que presenciaron las peripecias, para mantener a un hombre sumergido tomando apuntes, o suspendido sobre una ballena filmando su comportamiento. Probó primero con una suerte de batisfera que flotaba a poca profundidad y que las ballenas tomaron como pelota de waterpolo, sacudiendo al que estaba adentro como dados en un cubilete. Pasó entonces a un híbrido de paracaídas y aladelta, que pronto el viento patagónico se encargó de destrozar. Siguió con un globo de hidrógeno (¡el helio es tan escaso en la Patagonia!) y un avión ultraliviano. Habló de barriletes suspendidos a cientos de metros de altura y aviones de control remoto llevando cámaras filmadoras en miniatura.

En última instancia, Roger no se enfrenta con los molinos sino con el viento mismo al que busca conquistar, a veces con el raciocinio y otras con la obstinación. Él tiene aún que encontrar la solución a su problema de vivir mano a mano con las ballenas. Si lo logra, ese será un gran día para los estudios sobre ballenas. Pero para ese entonces, seguramente estará pensando en otro problema. Tal vez él también, como Konrad Lorenz, esté convencido de que algún día vamos a poder hablar con los animales.

Nuestra última conversación con Roger tuvo el trasfondo de ballenas saltando en un mar alterado por un viento frío de fines de primavera y un cielo de tormenta que invitaba a la reflexión. Entonces hablamos sobre el deber de no perder las esperanzas. Concluimos que llegará el día en que la conservación de la naturaleza será el ideal que ocupará el esfuerzo de gran parte de la humanidad. Nada será más urgente o digno de esfuerzo. La conservación es hoy una preocupación de gente sensible. Mañana será una cuestión de principios. Y esa evolución en el pensamiento no tendrá vuelta atrás.

Eubalaena horribilis no es el nombre científico de la ballena franca austral pero, para muchos, bien podría serlo. Ante algunos, la forma insólita de la especie la condena a figurar en el museo de los horrores. Sin embargo, a pesar de sus formas alejadas de nuestros modelos estéticos, esta ballena nos recuerda que no existe un único molde para transitar con éxito el viaje a través de los siglos.

Mitos y Leyendas

Nuestra atracción por las ballenas no se fundamenta seguramente en razones estéticas. Sus figuras carecen de los desencadenantes que inspiran respuestas maternales o de simpatía ante la observación de un chimpancé recién nacido o de un panda, aun siendo éste un adulto. Los ojos de una ballena son pequeños y poco reveladores de su estado de ánimo. El cuerpo no representa un modelo aceptado de belleza física. Sin embargo, algunos no dudamos en calificarlas como seres espléndidos. ¿Qué es lo que motiva esta respuesta?

Las ballenas tienen condiciones para atraer nuestro interés, que son diferentes a las razones que provocan ternura frente a un animal sumiso o desamparado. En primer lugar son imponentes. Una clara y constante impresión de quien ve a una ballena por primera vez es la sensación de exuberancia. El gran porte sugiere poder incontrolable. Figurativamente, las ballenas podrían encarnar la fuerza devastadora del mar o del viento.

La sensación de omnipotencia bajo control es otra razón en la que se fundamenta nuestra fascinación por estos animales. Contrastando con la imagen de dominio sobre el resto de las criaturas marinas, las ballenas son apacibles, cautelosas y de movimientos sosegados. Animales con la capacidad de destruir con furia son en realidad dóciles y moderados. Y en ocasiones son incluso ágiles.

Afirmar que una ballena es ágil parecería un disparate. Sin embargo, cuando una ballena salta demuestra esa cualidad. La destreza de proyectarse fuera del agua, girar en el aire y caer estrepitosamente provoca una sensación de irrealidad que se repite todas las veces que observamos el suceso.

Independientemente de sus características físicas, las ballenas nos atraen porque son un símbolo genérico del maltrato a la naturaleza. Matar ballenas y quemar la selva húmeda no son episodios desarticulados. Pero la compasión surge más espontáneamente por imaginar a una ballena arponeada que por evocar la caída de un árbol talado aunque, desde el punto de vista de la conservación, esta última acción puede ser mucho más grave que la primera. El pasado sombrío de las ballenas acrecienta nuestro apego por ellas.

Finalmente, las ballenas conmueven la afectividad de muchos por razones que tienen más que ver con el misticismo que con el raciocinio. Tal vez influenciados por un pasado de supersticiones llegadas hasta nuestros días transmutadas e irreconocibles, se atribuyen a las ballenas poderes legendarios. Las mismas cualidades que hoy provocan admiración y deleite, a los navegantes de otras épocas deben de haberles causado temor a la muerte. Para ellos el océano era un medio para lograr fines utilitarios: explorar, conquistar o sacar provecho. Vivir en el mar representaba una amenaza, y las criaturas del mar eran parte del peligro.

Los seres humanos somos impresionables, supersticiosos y místicamente agradecidos al universo. Tenemos la capacidad de sorprendernos ante lo improbable o lo incontrolable. Nos dejamos seducir por los mitos y las leyendas. Estas cualidades humanas tal vez estén sustentando parte del deslumbramiento por las ballenas. Estas mismas cualidades podrían ser las que también nos acercan a ser sensibles con otras especies.

Aplausos para el eclipse

A principios de noviembre de 1994 los habitantes de las latitudes subtropicales de la Argentina fueron testigos de un eclipse del Sol ocurrido en pleno día. En cuatro minutos, pasaron del día pleno a la oscuridad de una noche sin Luna y otra vez al día. Cuando volvieron a ver el Sol, la respuesta emocional al fenómeno fue el aplauso cerrado de los espectadores. Superficialmente, la situación sugiere una parodia de la locura: decenas de personas aplaudiendo un efecto colateral del movimiento de dos cuerpos celestes. ¿Pero a qué estaba dirigido realmente ese aplauso?

Un eclipse es un fenómeno que está fuera de nuestro control y que, al mismo tiempo, se encuentra íntimamente ligado a nuestro bienestar. Pasado el eclipse, retorna el alivio por saber que todo sigue igual. No importa que las leyes físicas que gobiernan lunas y planetas sean suficientemente sencillas como para poder predecir sus movimientos. Siempre nos dará temor aquello que no podemos dominar.

¿Cómo es posible entonces que la misma especie que tiene la capacidad de asombrarse por un eclipse esté poniendo en peligro la diversidad biológica, uno de los fenómenos naturales más grandiosos y excepcionales que hayan tenido lugar desde que se originó el tiempo? ¿Cuántos se detienen a aplaudir la vida? Los eclipses no se restringen a nuestro planeta o a nuestro sistema solar. Pero no hay razón para creer que la vida que podemos ver, oír, oler y sentir alrededor se repita en alguna otra parte del espacio. Cuando apreciemos el significado de la diversidad de las formas vivas, y nos sacudamos el prejuicio de que su permanencia está asegurada, habremos extendido infinitamente las fronteras de nuestra humanidad.

Poco sabemos sobre lo que ocurre alrededor nuestro o qué sucede dejando atrás el límite de nuestros ojos y oídos. La mayoría de los seres que componen el catálogo de la vida reciben nuestra indiferencia y, por ello, el destino de un cangrejo buscando avanzar en la marea, se aleja irremediablemente de nuestro interés.

Conservando cucarachas

En la política de la conservación se las conoce como especies carismáticas. Son difíciles de ignorar. Tienen el don de atraer nuestra atención. Sus formas, tamaños, texturas y proporciones desencadenan nuestra admiración, afecto o compasión. Nos seducen hasta el punto de que les atribuimos, a veces gratuitamente, cualidades psicológicas superiores y nos referimos a ellas como inteligentes. Invertimos así esfuerzos en la conservación de pandas y gorilas, aunque su futuro pueda ya no tener remedio. Pero nos pasamos la vida ajenos al drama de las extinciones casi diarias de especies menos conspicuas.

El sesgo en la escala de valores con la que categorizamos a las especies que hoy amenazamos con la extinción ha sido objeto de la crítica severa de los que ponen en la misma bolsa a conservacionistas, vegetarianos, pacifistas y defensores de los derechos del animal. El conservacionismo, como movimiento idealista, sufre así las incoherencias internas de toda religión, y compite con otras innumerables formas de preocupación altruista. Pero en la competencia pierde por no ofrecer garantías ni de salvación ni de redención.

¿Es realmente un error conceptual que algunas acciones de conservación estén dirigidas hacia especies carismáticas? La respuesta es un *no* rotundo. En primer lugar, si el futuro de la biodiversidad estuviese sólo en manos de decisiones racionales estaríamos encaminándonos probablemente más rápidamente de lo que estamos a la destrucción cataclísmica de la naturaleza. Un objetivo de la estrategia conservacionista actual es ganar

tiempo para permitir el cambio profundo de nuestras prioridades a través de la educación y la necesidad. Mientras tanto, las acciones del sentimiento pueden sacarnos del paso más rápidamente que las de la razón. Las fuerzas del corazón no sólo sustentan las de la razón sino que las superan con creces.

¿Por qué salvar ballenas y no océanos? Aunque la ciencia de la conservación se oriente hacia un enfoque que involucra ecosistemas, la política de la conservación no sigue siempre sus pasos. Nuestra admiración y compasión se depositan en objetos abarcables. Como seres individualistas manifestamos interés por otros individuos, no por los ecosistemas que les sirven de casa y sustento. Nos es más fácil conmovernos por la extinción de los elefantes africanos que por la destrucción del ecosistema de la sabana tropical.

¿Nos aleja la psicología de nuestra sensibilidad del ideal racional de conservación? Afortunadamente los caminos de la subjetividad confluyen, en este caso, con los del sentido común y aún con los de la objetividad. Las especies carismáticas son muchas veces las más vulnerables a la destrucción de un ecosistema. Son indicadoras del maltrato ambiental. También son agentes muliplicadores del esfuerzo conservacionista.

La ballena franca, como la especie carismática que nos ocupa en este libro, lleva a cuestas el respeto que algunos le tenemos a cada rincón de los océanos que visita. Aunque seamos mezquinos con los objetos de nuestra simpatía, el efecto de preocuparnos por la protección de la ballena franca se extiende hasta los confines de varios ecosistemas. Al proteger a las ballenas influimos en la conservación del ecosistema marino en el que se insertan.

En conclusión, mientras sigamos preocupándonos por el futuro de pandas y gorilas vamos a favorecer la protección de muchas otras especies tan vulnerables como ellos pero menos dignas de nuestra atención antropocéntrica. Hasta podríamos, sin habérnoslo propuesto, estar conservando cucarachas.

De mañana el sol se refleja en las gotas de rocío que descansan sobre cada hilo. En el centro de ese mundo perfecto, una araña termina de tejer una tela cuya resistencia, funcionalidad y diseño apenas atrapan nuestra atención. Unos metros más allá, en las aguas del golfo, una ballena nos conmueve y llena de admiración. ¿Seremos capaces de sentir igual respeto por la araña y la ballena?

Inteligencia y Adaptación

Nadie atribuye a la abeja cualidades intelectuales superiores por su capacidad de comunicar a otras la dirección exacta que deben seguir para llegar a una fuente de alimento, guiándose por la posición relativa del Sol con respecto a la colmena. Tampoco se asume que cuando el pez arquero escupe un chorrito de agua para atrapar a un insecto, haciéndolo caer del lugar donde se encontraba posado, corrige matemáticamente las diferencias entre la ubicación real de su presa y la que él percibe debajo del agua, debidas a la difracción de la luz. Pero las dudas sobre capacidades mentales superiores comienzan a surgir cuando se debate sobre el comportamiento de un perro pastor arreando a una oveja en dirección a su corral, siguiendo las indicaciones de su dueño transmitidas, mediante silbidos, desde varios centenares de metros. La opinión predominante es que la abeja sabe por instinto y el perro por inteligencia. ¿Qué hay de cierto en estas suposiciones?

Los códigos de comunicación pueden encauzar ideas con un grado variable de precisión. La música y las matemáticas constituyen tal vez la serie de metáforas de la realidad más precisas que haya elaborado el ser humano. Pero las lenguas ocupan un punto intermedio entre la ambigüedad absoluta y el ideal de precisión en la comunicación. El término "inteligencia" es ciertamente un ejemplo de lo primero. Su aplicación equívoca puede tener efectos desastrosos para la conservación.

Un concepto simplista de inteligencia se refiere a todo ser vivo capaz de sorprendernos por la estrategia usada para resolver un problema. La cualidad se considera casi privativa del ser humano, extendiéndose, con cierto esfuerzo, a algunos primates y animales domésticos. Como regla general, cuanto más alejado está un organismo de nosotros menos probable es que le apliquemos el término "inteligente".

Una consecuencia desafortunada de la aplicación indiscriminada de este concepto es pensar que los seres más inteligentes son más dignos de respeto que los menos inteligentes. Para los primeros se aplican principios éticos y morales diferentes que para los segundos. Es relativamente grande la consternación que causaría la extinción de una especie inteligente, pero la gran mayoría de los organismos que componen la biodiversidad de la Tierra no se perciben como capaces de cualidades intelectuales superiores y, por lo tanto, no estimulan nuestro interés por su continuidad.

El problema surge, en parte, como producto de los pilares paradigmáticos en los que se asienta nuestra relación con el universo tratados en el capítulo titulado "La filosofía de la indiferencia". En un mundo antropocéntrico, ocupamos un extremo de preferencia sólo a base de nuestra capacidad para resolver problemas y modificar el entorno. Aquellos seres que se aproximan a nosotros en esta capacidad gozan, por extensión, de algunos derechos preferenciales a la vida. El resto nos es más o menos indiferente.

Paradójicamente, dado lo poco que se conoce sobre sus vidas, algunos delfines y ballenas han sido tratados como seres particularmente inteligentes. Las orcas, por ejemplo, tienen la reputación más elevada en la jerarquía intelectual de los mamíferos marinos. Una de las razones más fuertes para conservar estas especies se apoya justamente en sus aparentes capacidades de razonamiento y conciencia de sí mismos que las asemejan a las de un ser humano. ¿Tienen dichas atribuciones justificación científica?

Si bien las consecuencias de un concepto ambiguo pueden mantenerse aun en la falta de evidencia, los mamíferos marinos considerados inteligentes tienen de hecho algunas cualidades que podrían sustentar su tratamiento preferencial. Los delfines y ballenas tienen cerebros estructuralmente complejos y desarrollados. Ello sugiere una capacidad de aprender y procesar información equiparable a la de los organismos intelectualmente más sofisticados como los primates. Algunos delfines viven en sociedades compuestas por decenas de individuos y tienen capacidades de comunicación sofisticadas. En cautiverio, algunas especies han mostrado habilidades para resolver problemas y para aprender tareas complejas. Consecuentemente, según la regla del más inteligente, algunos mamíferos marinos merecerían un respeto especial cuando se los compara con otros animales.

Si la protección de los mamíferos marinos depende de que los veamos como seres inteligentes, bienvenidas sean las cualidades que refuerzan esta posición. Sin embargo, esta postura refleja desconocimiento de principios fundamentales sobre la evolución de la vida. Desde una perspectiva biológica, la eficiencia de un organismo no se mide por su capacidad de resolver problemas matemáticos sino por su habilidad para sobrevivir y reproducirse. Los organismos actuales, de cualquier especie, son el producto de ancestros triunfadores. Los individuos de especies que viven en ambientes diversos, muy variables o impredecibles, se benefician al poder variar su comportamiento de acuerdo con su experiencia. La hembra líder de una manada de elefantes africanos conduce a su familia a lugares donde los parientes pueden obtener refugio, agua y alimento, según las exigencias ambientales imperantes. Pero también los cirripedios adheridos a las ballenas se comportan adaptativamente haciendo uso de la experiencia acumulada por sus ancestros codificada en sus genes. Desde el punto de vista de un biólogo, elefantes y cirripedios se encuentran bien adaptados a su ambiente. Ambos sobreviven gracias a poseer información única, irreemplazable e irrepetible. Su inteligencia relativa es un elemento que aporta poco a su grado relativo de adaptación.

Los cirripedios han pasado exitosamente por exámenes tan rigurosos como los de su portador y han sobrevivido. Guardan el secreto de su supervivencia en un código cuya complejidad y magnitud es similar al de la ballena franca. A pesar de esta verdad biológica, es difícil sentir igual respeto por ambos seres vivos. Pero tenemos que tratar de vencer esta preconcepción en nuestra escala de valores y permitir que nos invada el respeto por el evento que es la vida toda, desbordante en ese particular instante. Si logramos sentirnos parte de ese acontecimiento, vamos a esforzarnos por hacer todo lo que esté a nuestro alcance para consolidar su continuidad.

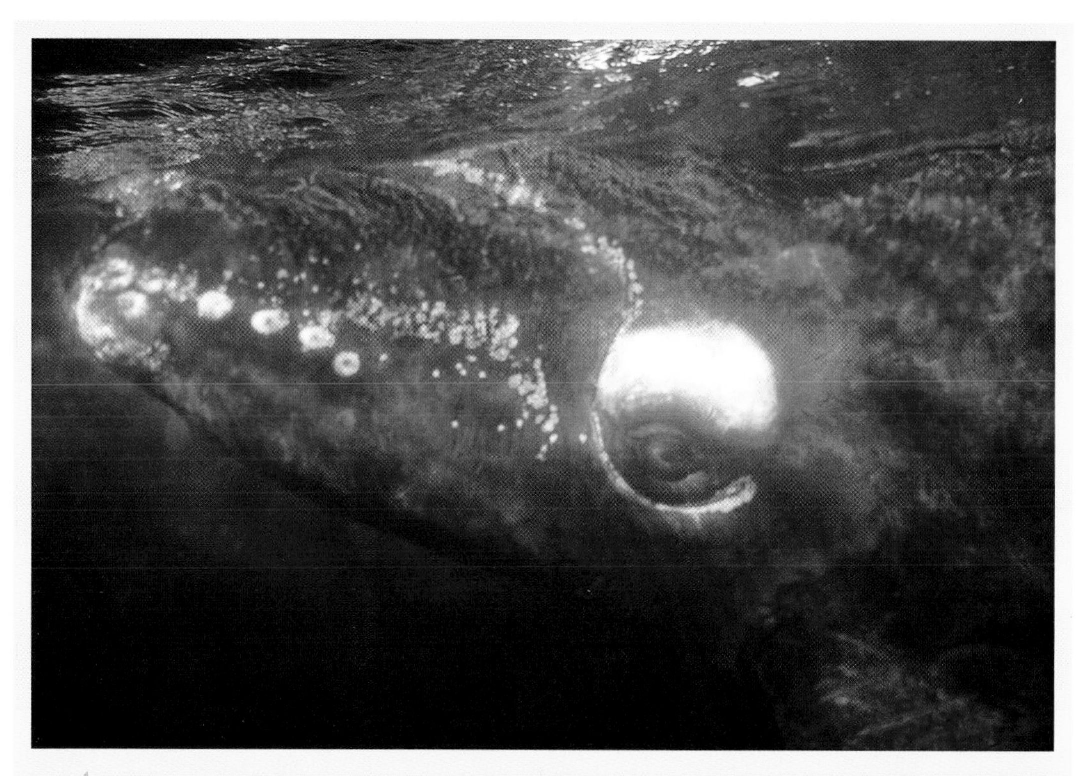

Al ritmo de despertadores y compromisos impostergables comenzamos el lunes siguiendo, ininterrumpidamente, hasta el viernes. En ese ambiente nos relacionamos y tomamos decisiones. Vivimos. Con las primeras horas del sábado disfrutamos de nuestros hijos, descubrimos la sombra de los árboles y el canto de los pájaros. Con mayor equilibrio, nuestro orden de prioridades se vuelve racional, humano. Así, por una horas, hasta que las sombras del domingo nos anuncien que debemos volver a empezar.

La Filosofía de la Indiferencia

La conservación a largo plazo de la ballena franca, como de cualquier otra expresión de vida incluida nuestra propia especie, dependen de un profundo cambio en la manera de relacionarnos con la naturaleza. Cuatro conceptos doctrinarios necesitan rápida revisión:

- El ser humano es el centro del universo.
- La naturaleza está al servicio del ser humano.
- La naturaleza es inagotable.
- Los seres vivos se ordenan en una jerarquía vertical.

Las consecuencias ideológicas y prácticas de una sociedad antropocéntrica e individualista, basada en estos cuatro paradigmas, son numerosas:

- Se actúa como si el orden natural de las cosas siguiese una dirección que parte del individuo humano y va perdiendo dignidad y derechos a medida que se aleja de él. En dicha filosofía no hay lugar para la conservación de otras especies, a no ser como fuente de regocijo o utilidad para la propia.
- Es ético y moralmente aceptable que el ser humano someta a la naturaleza en beneficio propio. El universo tiene dueño y el futuro de los seres vivos puede decidirse a base de argumentos utilitarios.
- La sensación de pertenencia sobre los objetos de la naturaleza lleva a reclamar posesión y dominio sobre ella.
- No debemos preocuparnos demasiado por cambiar nuestra tendencia a dilapidar recursos porque al fin alguien proveerá.

Las singularidades del ser humano no son siempre simpáticas al oído. Por ejemplo, la nuestra es la única especie a la que con propiedad puede llamarse irresponsable. La filosofía conservacionista propone un cambio en nuestra actitud frente a la naturaleza pero la necesidad del cambio no se fundamenta sólo en el altruismo extendido a todo ser vivo. El universo individualista es curvo. La flecha que marca una dirección, partiendo del individuo, pronto vuelve a él señalando la interdependencia entre los seres vivos. La exaltación de la historia humana y el desdén por la historia natural va a terminar acortando el tiempo de la primera.

La actividad ballenera, por ejemplo, se llevó a cabo con una base conceptual ajena a la idea de protección de la biodiversidad. El resultado fue destructivo y la naturaleza se agotó. Hoy se entiende mejor el efecto de ciertas actividades sobre el ambiente. Sin embargo, se mantiene vigente la necesidad de justificar la existencia de las ballenas en los beneficios económicos que puedan ofrecer. El turismo es una salida de paso momentánea, pero el mensaje es sencillo: o se encuentra un argumento utilitario o el ideal de conservación de la naturaleza está sujeto al fracaso. La regla parece no admitir excepciones, nunca ni en ningún lado.

Como ideología, el conservacionismo no se limita a vivir sólo en función de una filosofía utilitaria e indiferente a lo que no sea económicamente beneficioso. En estos momentos de la historia de la humanidad predomina aún una actitud verticalista en casi todas las culturas con poder suficiente como para cambiar el orden establecido entre los seres vivos. Pero dicha actitud tiene que cambiar y se tienen que promover estilos de vida alternativos.

La pobreza y el sufrimiento humanos imperantes no son ciertamente producto de ideas conservacionistas. Una visión del mundo que busque la armonía como primera prioridad es seguramente una posición más realista que la que espera encontrar un estilo de vida humanitario basado en la irresponsabilidad.

Una vida de lunes a viernes

En el mundo de lo inmediato la necesidad de soluciones prácticas hace que lo urgente sea lo importante y que lo importante sea antipático. En este mundo lo práctico es aquello que elude el replanteo, la evaluación hecha con disposición al cambio. Así vivimos hipotecando nuestra felicidad, inmersos en un mundo ficticio de prioridades equivocadas donde se perpetúan razonamientos que se nutren en la intención personal y el interés, cualidades todas demasiado cercanas a la codicia.

Los peores enemigos de lo inmediato son la precaución, la consideración por el que disiente y el espíritu principista. La inmediatez va de la mano del slogan, del cliché y del axioma, marcha con ritmo marcial y tiene un aire de seguridad que disputa hasta a las más elementales leyes naturales. En el mundo de lo inmediato se vive una vida de lunes a viernes.

Las agujas de nuestros relojes recorren el camino de las horas mientras intentamos generar en las personas interés sobre los problemas del ambiente. En general, las tendencias y gráficos que les mostramos no superan el límite de sus camisas y los corazones laten indiferentes. Si pudieran cruzar las fronteras de la ciudad, seguir los caminos que llevan a la orilla del mar y atestiguar la magnificencia de las ballenas, de algo estamos seguros: nunca las olvidarían.

La Extinción es un Punto de Vista

¿Se encuentra la ballena franca austral amenazada de extinción? Una pregunta que parece sencilla y directa no tiene una única respuesta. Si hiciéramos una encuesta basada en esta pregunta los resultados mostrarían seguramente posiciones antagónicas, aun cuando los encuestados se basen en la misma evidencia:

• La población de ballenas francas de la Patagonia se encuentra en aumento.
• Las población mundial actual de ballenas francas australes no llega probablemente ni al 5 % de la población mundial antes de la matanza.
• La tasa de reproducción de la especie es baja.
• Los lugares de reproducción están insuficientemente protegidos.
• Las aguas internacionales que forman los corredores migratorios de la especie están expuestas a sobreexplotación de recursos.
• Se desconoce el impacto de la contaminación marina, las pesquerías, el tráfico naviero y la caza furtiva sobre la especie.

Si se hace hincapié en que algunas poblaciones están recuperándose o en que aún existen algunas miles de ballenas francas dispersas por el mundo, puede opinarse que es excesivo catalogar a esta especie como vulnerable a la extinción. Esta conclusión tiene un aspecto práctico: no justifica, basándose en la evidencia disponible, la adopción de medidas de protección que puedan afectar negativamente a las economías internacionales o incluso a las locales. No se ve así la necesidad de crear áreas protegidas, de limitar el desarrollo de nuevas actividades humanas que pueden afectar a las ballenas o de generar estudios de evaluación de impacto de actividades ya tradicionales. Si, por el contrario, el encuestado se apoya en el tamaño relativamente pequeño de las poblaciones y su limitado potencial de crecimiento en un ambiente perturbado y a veces hostil, puede entonces que se justifiquen medidas de protección aun con efectos adversos para economías regionales o internacionales.

Las diferencias de opinión llevan muchas veces a argumentos difíciles de conciliar y a discusiones acaloradas. Los conservacionistas, preocupados por la vulnerabilidad de la especie, son entonces acusados de atentar contra el bienestar comunitario. Se los trata de idealistas utópicos ajenos a los intereses y necesidades de desarrollo de las comunidades humanas. Se los acusa de interesados en el beneficio de los animales por sobre el bienestar de los humanos. Se les endosa un fanatismo y un sentimentalismo que les impide entender las alternativas de desarrollo de una vida moderna. Las acusaciones van y vienen. A los de la vereda de enfrente, los "verdes" los tildan de demagogos que argumentan en favor de la comunidad justificando su autopromoción. Se los señala como cortoplacistas insensibles a argumentos de beneficio sostenido y hasta de ignorantes de los efectos económicos de los problemas ecológicos. Se los encuentra culpables de promover un estilo de vida que a largo plazo somete a los pueblos a la degradación y a la pobreza.

La razón por la cual se puede llegar a conclusiones diferentes basadas en los mismos hechos se debe a que, en última instancia, el futuro de la ballena franca depende más de la disposición para aceptar la evidencia que de la evidencia misma. Y donde no hay disposición hay enfrentamiento. La guerra por la conservación del ambiente bien podría ser hoy una nueva moda bélica que acompaña a las grandes confrontaciones humanas justificadas en la religión, las ambiciones expansionistas o los criterios económico-sociales. Pero mientras los seres humanos discutimos doctrinas antagónicas, las ballenas y muchas otras especies se encuentran dependiendo de los caprichos de nuestros razonamientos.

Ante la polarización de las ideas sería recomendable adoptar una posición de precaución. La regla es simple: ante la duda aplíquese el principio de cautela. Nadie tomaría agua de un recipiente que se presume contaminado a pesar de no contar, a la hora de la decisión, con los análisis químicos y bacteriológicos a la vista. La misma lógica en la que se basan decisiones prácticas que ayudan a conservar vivo a un individuo debería usarse para tratar la biodiversidad.

Para lograr que, ante la duda, se aplique el principio de cautela hay que convencer a los incrédulos. Una buena proporción de la humanidad se encuentra formando parte de la categoría de incrédulo, desinformado o preocupado por problemas más "urgentes e importantes". En consecuencia, gran parte del esfuerzo de los que viven acordes con el principio de cautela se invierte en interpretar la evidencia para aquellos que no quieren ni oír, ni ver.

Es un proceso penoso tratar de sensibilizar a quienes prefieren no saber o no creer en la evidencia. La educación ciertamente acelera las conversiones, pero muchas veces es un catalizador de acción demasiado lenta. Por ejemplo, una encuesta recientemente realizada a 25.000 adultos de 20 países mostró que en culturas como la estadounidense, con sobradas oportunidades de acceder a la información, cuatro de cada diez personas piensan que la principal causa de la pérdida de la diversidad biológica no tiene nada que ver con los seres humanos. Peor aún, seis de cada diez no creen en la existencia de relaciones evolutivas entre seres humanos y otras especies.

Las ballenas, o los pandas, los gorilas, los tigres y cualquier otra especie tomada como ejemplo aislado, sólo permiten ejercer una débil fuerza de convicción para convertir a algunos escépticos. Parecería ser que se necesitan problemas de mayor gravedad para que gran parte de la humanidad preste atención a la necesidad de aplicar el principio de cautela. Tal vez las complicadas transformaciones en la composición química de la atmósfera, con potenciales efectos en cada rincón del planeta, que hoy llamamos problemas de cambio global, puedan llegar a concientizar escépticos con más eficacia que las ballenas. Pero es probable que, para cuando se manifieste el efecto del cambio global, ya se haya perdido una buena proporción de las especies que hoy existen. Cambios en los niveles de los océanos, sequías o inundaciones, aumento en los niveles de radiación ultravioleta, cambios en la biogeografía mundial y extinciones de muchas especies componen un cuadro tal vez pesimista. Pero no sería la primera vez que la diversidad de la vida pasa por una prueba de resistencia semejante a la que resultaría de alterar dramáticamente la relación física entre la atmósfera, el océano y la tierra. Sería, sin embargo, la primera vez que la puesta a prueba es el producto directo de sólo una de las formas vivas. La extinción no es cuestión de puntos de vista, siempre ha sido y es una realidad que, por el momento, sigue pasando casi desapercibida, ignorada.

En los escritorios de edificios importantes se trazan los límites que dividen países. Los mapas reciben símbolos y líneas perfectas que nos aclaran que tal mar ha sido heredado aquí o allá. Pero en el mundo real las olas ocultan esos límites y el fondo del mar se extiende único.

Las Ballenas no Vienen Solas

Mientras se reproducen en las aguas del golfo Nuevo, algunas ballenas francas son emisarias de los mares antárticos. Mientras se alimentan en algún lugar desconocido de los mares del sur, son mensajeras de la Patagonia. La misma ballena que llega a las costas de la Península Valdés podría pasar parte de su vida en las aguas que rodean a las islas Georgias del Sur, en la proximidades de la Península Antártica o aún en las costas del sur de Brasil. En los golfos patagónicos, estos animales enfrentan la vida en bahías pequeñas de aguas generalmente tranquilas pero sin muchas alternativas de alimentación. En su viaje hacia aguas más productivas, las ballenas cruzan mares embravecidos, buques con redes kilométricas y bancos de plancton, krill y peces que les ofrecen la oportunidad de recuperarse de muchas semanas de ayuno.

Nada más difícil que proteger a un animal que se mueve en una escala de miles de kilómetros, expuesto a fuentes de disturbio casi incontrolables. La vida de las ballenas se desenvuelve en una extensión espacial mayor que la de cualquier otro mamífero actualmente existente. ¿Podemos pensar en la conservación de la ballena franca sin considerar la contaminación por desechos urbanos e industriales del golfo Nuevo, las pesquerías de los mares subantárticos, el efecto de la destrucción del ozono atmosférico sobre el fitoplancton marino y la acción del calentamiento global sobre la circulación de las corrientes oceánicas y la productividad primaria?

Los problemas de conservación de una especie que ocupa parte de varios mares del mundo nos obligan a pensar en una estrategia global. Cada año, cuando llegan a los golfos patagónicos a reproducirse, las ballenas no vienen solas. Traen con ellas las infinitas relaciones entre seres vivos con su medio que ocurren en la vastedad de los océanos australes. Un enfoque abarcativo de los problemas de conservación requiere contemplar todas las variables que, directa o indirectamente, pueden afectar la supervivencia y reproducción de la especie en cuestión. Cada factor debe ser sopesado y tratado en forma interactiva para llegar a una concepción de manejo del ambiente que asegure la supervivencia, no sólo de la ballena franca sino de todos los eslabones que la llevan a ocupar el particular lugar que tiene en los circuitos vitales. Un enfoque moderno de los problemas de conservación, particularmente aquellos que afectan a nuestra propia especie, nos obliga a pensar en un ecosistema planetario que involucre a todas las causas y relaciones que hacen que la vida sea un evento entre los fenómenos universales.

Un riesgo de enfrentar los problemas de conservación con un enfoque ecosistémico es desalentar el tratamiento de los efectos focales que afectan la biodiversidad. Los problemas ambientales deben encuadrarse con un enfoque global, pero los esfuerzos por solucionarlos requieren inversión en acciones locales. La conservación de la ballena franca austral depende, en última instancia, de un esfuerzo internacional y multidisciplinario. Pero nuestra contribución crucial a ese esfuerzo pasa por la protección de los animales mientras están en la Patagonia. Si somos incapaces de proteger el hábitat que una especie necesita para su reproducción, seguramente llevaremos al fracaso lo que puedan estar haciendo otros en otras partes del mundo para su conservación. La visión ecosistémica es un reto para el trabajo cooperativo y muestra claramente que nadie será, por sí solo, el único salvador de la ballena franca austral.

Desde las aguas que rodean las Georgias del Sur o desde más allá de las cordilleras submarinas, regresan hacia la Península Valdés. Se acercan. Viajan frente a las puertas del estrecho de Magallanes, siguen las líneas que recorren bahías y caletas, viran pasando la punta Norte y dejan que la boca del golfo San José las devore suavemente.

Los Golfos que Eligieron las Ballenas

Repartiendo la torta

El golfo San José es un espejo de agua sólo un poco más grande que el lago Nahuel Huapí. Su forma sugiere una laguna de agua dulce más que una bahía del océano Atlántico. De boca pequeña y rodeado por costas acantiladas, las aguas del golfo cautivan a los espíritus sensibles e inspiran confianza. También atraen las ballenas que lo visitan con objetivos prácticos: parir o aparearse.

Las ballenas seguramente descubrieron este golfo mucho antes de que figurara en las cartas náuticas de los que se aventuraron a los mares del sur. Los españoles, que establecieron en sus costas una fortificación que no contó con la simpatía de los indígenas locales, ya las veían llegar como aún lo hacemos dos siglos más tarde. Durante los tiempos balleneros, este golfo parecería haber escapado a la desmesura de los arpones. Y es así como algunas ballenas francas aparentemente vivieron en él una vida de libertad y anonimato.

Pero a mediados de 1970 el golfo dejó de ser ignorado. Antes de que la mayor parte del mundo se diera por aludido de que las ballenas existían en la Patagonia, la Provincia de Chubut lo declaró Parque Marino. La decisión tuvo color de futuro y misión de salvaguardar un área de cría excepcional para la especie. Pero para la actual percepción de los 70, esos pioneros de la conservación habían reclamado innecesariamente demasiados derechos para los animales. La condición de área protegida fue así pronto reemplazada por la de "más o menos utilizable" para acomodar emprendimientos de extracción de mariscos. El aún llamado Parque Marino perdía así la esencia de ser un lugar dedicado al único fin de proteger a la fauna marina para convertirse en un lugar casi como cualquier otro.

Si a fines de los 70 quedaban dudas sobre la justificación de desarrollar un Parque Marino, para los 80 éstas se habían disipado y quedaba claro que al golfo había que aprovecharlo. Existían intereses económicos inmediatos para satisfacer antes de dar lugar a contemplaciones idealistas. Lo que no quedaba claro sobre esta postura progresista era para qué, para quién, cómo, por qué y por cuánto tiempo. Algunos incluso decidieron pasarle una rastra al fondo del golfo para extraer mariscos en cantidades industriales. La actividad duró poco y con buen criterio fue reemplazada por una técnica de cosecha más cuidadosa: extraer vieiras a mano, una a una. El número de interesados en la actividad marisquera aumentó y los permisos otorgados se multiplicaron. Los buzos deben hoy llegar a profundidades cada vez mayores para poder llenar sus canastos con mariscos. Los beneficios del uso múltiple del golfo duraron relativamente poco. Pero los intereses ya fueron creados y una vuelta a los años 60 ya no es posible.

Los marisqueros no fueron los únicos que miraron el golfo a la luz de los propios intereses. Otros también tenían sus fundamentos y expresaban intenciones sobre lo que convenía hacer con el golfo, desde convertirlo en un lugar para maniobras navales y prácticas de tiro, hasta satisfacer los sentidos con un paisaje maravilloso o poner micrófonos debajo del agua para oír los sonidos de las ballenas. Y en la repartición de la torta, los más recientemente beneficiados fueron los interesados en iniciar una nueva actividad: captar larvas de mariscos para cultivo con fines productivos. Esto implica utilizar centenares de metros de sogas sumergidas en el lugar donde viven ballenas. Los problemas son obvios. Las ballenas se enredan en las sogas y no pasará mucho hasta que un ballenato aparezca muerto en alguna playa con el cuerpo herido por esas mismas sogas.

La decisión de convertir un parque marino en una porción del océano dedicada a múltiples usos, podría parecer un tema irrelevante frente a los problemas de un mundo plagado de malestares, injusticias y catástrofes ecológicas. Pero visto desde la perspectiva regional, la historia reciente del golfo San José sienta un precedente poco feliz para la conservación de un área natural. No condice con una trayectoria de 30 años de compromiso con la conservación de una provincia que aún sigue siendo pionera en el manejo de recursos naturales en la Argentina.

El problema de manejo de un área natural no pasa por contraponer el desarrollo a la conservación. No se fundamenta en imponer los principios de bienestar humano frente a los de protección de la naturaleza. No se sustenta en el sacrificio del interés de la comunidad frente al interés de algunos desubicados "verdes". El problema no es entre humanistas y ro-

mánticos. El problema es, en última instancia, de tipo oftalmológico: entre cortos de vista y visionarios. El golfo San José, como área protegida, significa un reaseguro para las futuras generaciones humanas y un seguro para los que hoy están invirtiendo en las ballenas como reactivadoras de la economía regional.

A la hora de escribir estas páginas el golfo San José arriesga convertirse en algo equivalente a lo que hoy es el golfo Nuevo: un puerto de aguas profundas que sirve a una industria metalúrgica en problemas, a una actividad pesquera vulnerable y a una industria lanera condenada a fluctuar, todas actividades que ponen, paradójicamente, en peligro a la fauna que sirve de base a otra actividad próspera y en crecimiento: el turismo. Con su parque y sus ballenas, Chubut hace historia. Sin ellos, arriesga desaparecer del mapa tan rápidamente como figuró en él.

La condena del golfo Nuevo

Desde una perspectiva utilitaria, el golfo Nuevo es un magnífico reparo frente a tormentas que ponen en peligro por igual a una cría de ballena, que recién aprende a moverse en el mar, como a una embarcación, que aprendió todo lo que sabe estando fuera del agua. Así se lo percibió desde que los colonos galeses fundaron en sus orillas la ciudad de Puerto Madryn. Y así lo ven hoy algunos barcos que van y vienen mientras les es conveniente. Pero no todos obtienen de este golfo beneficios medidos en toneladas, cajones o divisas. Para nosotros, la perspectiva futura no está enfocada con la vista puesta en tierra.

Desarrollar el golfo Nuevo fue una decisión tomada algunas décadas atrás. La comunidad patagónica tenía entonces una gran responsabilidad: decidir el futuro de un área natural que había llegado hasta nuestros días con su caudal de vida casi intacto. Pero los artífices del desarrollo no tenían entonces a la fauna como protagonista. Sus decisiones iban a relegar a un segundo plano los aspectos ambientales.

Hoy tenemos un golfo al que se tiran desechos urbanos e industriales de efecto no cuantificado sobre la vida marina. En las playas se acumulan residuos arrojados por los barcos al mar y que el mar devuelve a la costa. Una ciudad de 45.000 habitantes que viven del golfo comienza a preocuparse por su futuro. Pero, como sucede con el golfo San José, los intereses creados no conocen el camino de retorno.

¿Para quién y por cuánto tiempo?

Deberíamos encarar con cuidado el desarrollo de las áreas naturales más importantes de una región porque los efectos disruptivos sobre los ecosistemas no siempre tienen vuelta atrás. Y el problema no atañe sólo a "filósofos". También tiene aspectos económicos importantes:

• El desarrollo en una dirección limita las alternativas futuras de uso.

• Las formas de desarrollo que no tiendan a un uso sostenido terminan generando pobreza.

• Cualquier forma de desarrollo, incluso sostenido, tiene la potencialidad de degradar los sistemas biológicos.

El ahorro de los recursos naturales es un concepto poco aplicado. Pero podríamos empezar a utilizarlo con más asiduidad si nos hiciéramos la pregunta para quién y por cuánto tiempo. Si la respuesta es para algunos y para hoy, sabremos que estamos en el camino equivocado y que las generaciones futuras no nos recordarán con simpatía.

Hoy tal vez sólo podamos recorrer más despacio la ruta de la degradación del golfo Nuevo. Pero aún estamos a tiempo para proteger al golfo San José de un futuro similar. Hoy estamos en condiciones de hacerlo porque entendemos mejor que nuestro futuro es sólo el pasado para nuestros hijos. La conservación de las áreas naturales parece poner a prueba los principios de toda la comunidad. ¿Cuáles serán esos principios a la hora de proteger las ballenas?

¿Qué debemos hacer para que las ballenas sigan viviendo en los mares de un planeta azul y que los acantilados de la península saluden año tras año su regreso?

Para Todo hay un Decálogo

1. No las matemos

GLOBAL. Es obvio que lo primero que hay que salvaguardar son las ballenas que aún quedan. Puede que estén protegidas en la letra de acuerdos, leyes y reglamentos, pero ya leímos que los pactos no garantizan la seguridad en los hechos.

LOCAL. Es improbable que prosperen proyectos de caza de ballenas en la Patagonia. Pero cazarlas no es la única manera de matarlas. Las principales causas de mortalidad de la ballena franca del hemisferio norte son: la colisión contra buques, el enmallamiento en artes de pesca y la degradación del ambiente, particularmente debido a la contaminación del mar. En nuestras costas ya aparecieron animales heridos por hélices de embarcaciones. También se observaron ballenas con sogas enredadas en las barbas. El tráfico de buques, la potencial contaminación de las aguas del golfo Nuevo y la colocación de centenares de sogas para captar larvas de mariscos en el golfo San José son amenazas que, en conjunto, pueden afectar negativamente la supervivencia de algunas de las ballenas francas que hoy existen.

2. Protejamos las áreas de cría y alimentación

GLOBAL. Es fundamental crear y mantener áreas protegidas en aguas internacionales donde las ballenas puedan reproducirse y alimentarse. Si se degradan los lugares donde ocurren los eventos cruciales para la continuidad de una especie, tarde o temprano se la estará condenando a la extinción.

LOCAL. El golfo San José debe ser un área protegida para la ballena franca. Deben, además, extenderse las áreas protegidas del golfo Nuevo hasta abarcar aquellas partes que comenzaron a ser frecuentadas por madres con cría durante los últimos años. No deberían ponerse en peligro estos lugares por ninguna razón fundada en un interés sectorial.

3. Seamos cautos

GLOBAL. Ante iniciativas de desarrollo que no pueden asumirse como inocuas el camino a seguir es aplicar el principio de cautela. La duda y la falta de información no son las bases de un desarrollo racional.

LOCAL. Es importante lograr que el avistaje de ballenas en la Península Valdés sea una actividad educativa. Debe evitarse que se convierta en una forma de turismo masivo. Es además necesario evaluar el impacto de otras actividades de desarrollo actuales y futuras con respecto a la conservación de la ballena.

4. Detengamos la contaminación de los océanos

GLOBAL. La contaminación crónica del mar es una forma particularmente insidiosa de intoxicar animales y de degradar el ambiente hasta hacerlo inhabitable. Ambas especies de ballenas francas están hoy potencialmente expuestas a los efectos de desechos tóxicos.

LOCAL. Las aguas del golfo Nuevo estuvieron expuestas, durante décadas, a desechos cloacales y al efecto de industrias metalúrgicas y pesqueras. Nadie sabe con certeza si la situación actual es perjudicial para las ballenas.

5. Tengamos consideración por las futuras generaciones

Conservar para nuestros hijos es la única manera de asegurarles un futuro. Las recomendaciones de los que se preocupan por la conservación de la diversidad biológica deberían ser consideradas por los gobiernos con la misma atención que se presta a las alternativas de desarrollo. La pluralidad de ideologías en este sentido ofrece a las comunidades alternativas de elección.

6. EVITEMOS EL DERROCHE

El uso intensivo de los recursos naturales está poniendo en peligro la continuidad de la vida silvestre. La sobreexplotación de los bosques, la tierra y el mar llevará a un colapso productivo con consecuencias económicas y sociales perjudiciales. El abuso de la naturaleza será origen de más pobreza y sufrimiento. La prioridad de nuestro tiempo es aprender a cambiar un estilo de vida que requiere de la naturaleza más de lo que ésta puede darnos.

7. MULTIPLIQUÉMONOS CON MESURA

GLOBAL. El incremento de la población mundial no es producto del libre albedrío sino mera consecuencia de la falta de educación, la paternidad irresponsable y una actitud indiferente frente a problemas ambientales evidentes. El futuro de la biodiversidad del mar está íntimamente ligado al grado de crecimiento poblacional humano.

LOCAL. El tamaño de las poblaciones patagónicas no es hoy el principal factor de preocupación para la conservación de las ballenas. Pero la distribución de la población puede llegar a serlo. La mayor parte de los patagónicos vive cerca de la costa. El desarrollo demográfico debería acompañarse de normas de manejo que protejan los ecosistemas costeros.

8. ASUMAMOS RESPONSABILIDADES

Todos tenemos algo que ver con la degradación del ambiente. Antes que imponer nuestros valores, tenemos que enfrentar nuestras debilidades. Asumir responsabilidades es un paso hacia sentirse partícipes de las soluciones.

9. SEPAMOS ENCONTRAR NUESTRA POSICIÓN EN LA NATURALEZA

El ser humano es un recién llegado entre las formas vivas. La mayor parte de la historia de la vida no nos tuvo como parte interesada.

10. CONFIEMOS EN LA EDUCACIÓN

En la sensibilidad y en la educación se sustenta la toma de conciencia y, en ella, todos los demás aspectos de la conservación.

Si una ballena conociese el pasado de su especie y tuviese comprensión del presente, podría tener esperanza por su futuro. El mundo en el que han vivido las ballenas en los últimos siglos les ha sido hostil. Algunas hostilidades ya desaparecieron pero se agregaron nuevas. La historia reciente indica, sin embargo, que lo que hoy parece casi imposible puede suceder en corto tiempo.
Cuando entendamos la verdadera importancia de la conservación de la naturaleza vamos a tomar las decisiones adecuadas para terminar con la catastrófica relación que mantenemos con ella. Hoy, paradójicamente, las ballenas dependen de las acciones inteligentes de una especie a la que han visto evolucionar.

Así de repente, surge la sensación de estar acompañados por animales que logran ocupar los espacios y sensaciones de toda una ciudad, con sus aletas negras reflejando la luz del Sol.

TIEMPO DE BALLENAS

Sin cines, ni teatros, ni centros de compras, ni museos de arte, ni estadios de fútbol, durante el invierno muchos pueblos del sur parecen más grises, polvorientos y abandonados que nunca. El viento invita a vivir adentro de las casas y de uno mismo. La comunicación parece reemplazarse por la contemplación. No es fácil encontrar adónde ir y la gente suele salir, sin destino ni objetivo, a recorrer las calles de siempre ansiando descubrir algo nuevo en la monotonía de los lugares conocidos.

Pero los domingos del invierno de 1995 fueron especiales. Centenares de personas comenzaron a visitar los lugares habituales, pero esta vez con destino y objetivo claros: mirar ballenas. Primero tenían que llegar hasta las playas vecinas a la ciudad de Puerto Madryn como El Doradillo. Pero más entrado el invierno, las ballenas se instalaron en la bahía Nueva, frente mismo a la ciudad. Allí se las podía ver todos los días, moviéndose lentamente a metros de la costa.

Asombro es tal vez la mejor palabra para describir la impresión que nos causaba ver a la gente sentada en los balcones de los edificios frente al mar mirando en una misma dirección, o caminando por la playa deteniéndose al mismo tiempo para ver mejor un salto, o hablando de ballenas en la calle y en las casas. Cuando finalmente caía la tarde y el frío les recordaba la latitud en la que viven, los admiradores de ballenas volvían al reparo de los espacios interiores. Las playas quedaban solas una vez más, pero la respiración de una ballena o el estallido de un salto seguían escuchándose a través de las paredes. ¿Oíste eso? Sin reparo a la intimidad, las ballenas formaban parte de la vida de las personas.

Es posible que los avistadores de fin de semana no fueran eruditos en la historia natural de los cetáceos, las relaciones ecosistémicas y la protección de especies carismáticas. Pero pocas cosas incentivan más nuestra esperanza por la conservación que el espectáculo de una comunidad admirada por las ballenas. Expresiones de asombro repitiéndose domingo a domingo cuando, con paso distraído, la gente volvía a acercarse a ellas. Casi como aplaudir un eclipse... o, por lo menos, en esa misma dirección.

CUATRO

APÉNDICE

Las Ballenas Actuales

Nombre común	Nombre científico
Ballena azul, rorcual mayor	*Balaenoptera musculus*
Ballena fin, de aleta	*Balaenoptera physalus*
Ballena sei	*Balaenoptera borealis*
Ballena de Bryde	*Balaenoptera edeni*
Ballena minke, rorcual menor	*Balaenoptera acutorostrata*
Ballena jorobada, yubarta	*Megaptera novaeangliae*
Ballena de Groenlandia	*Balaena mysticetus*
Ballena franca pigmea	*Caperea marginata*
Ballena franca austral	*Eubalaena australis*
Ballena franca boreal	*Eubalaena glacialis*
Ballena gris	*Eschrichtius robustus*

Breve crónica mundial de la caza de ballenas

2.000 a 3.000 años a. C. En Alaska, Canadá y Noruega se encuentran restos de huesos y grabados en piedra que sugieren el aprovechamiento de ballenas por culturas antiguas. La caza estaba limitada a especies lentas y costeras, como la ballena de Groenlandia y la franca boreal.

Siglos I-X. Se cazan ballenas con fines de subsistencia en varias partes del mundo.

Siglos XI-XII. Los balleneros vascos cazan ballenas francas boreales en el golfo de Vizcaya y posiblemente en el Mar del Norte. La lentitud de la especie y la cantidad de aceite que produce la convierten en presa fácil de los balleneros.

Siglos XIII-XVI. La caza deja de hacerse con fines de subsistencia y pasa a ser una actividad comercial de importancia para la producción de aceite y barbas. La actividad de los balleneros vascos se extiende a la mayor parte del Ártico europeo y del Atlántico Norte llegando a las costas de América del Norte. A las flotas vascas se suman las holandesas, británicas, francesas y alemanas. Comienzan a agotarse las poblaciones de ballenas francas boreales del Atlántico Norte europeo.

Siglo XVII. Comienza la actividad ballenera en las costas de Nueva Inglaterra, en América del Norte. Flotas europeas y norteamericanas cazan ballenas en el Atlántico y en el Ártico. Las principales presas son las ballenas de Groenlandia, francas boreales y jorobadas. Los stocks costeros de Groenlandia y Canadá son los más explotados. En otras partes del mundo la actividad ballenera tiene lugar en menor escala que en Europa. Japón desarrolla una actividad ballenera con embarcaciones costeras que capturan ballenas francas con arpones y redes.

Siglo XVIII. Comienzan a agotarse los stocks de ballenas de Groenlandia y otras especies en el Atlántico Norte y el Ártico. Los balleneros, especialmente norteamericanos, británicos y holandeses, expanden la actividad al Atlántico Sur. También se cazan ballenas en los océanos Pacífico e Índico.

Siglo XIX. La intensa actividad en el Pacífico Norte termina agotando los stocks de ballenas francas. Desde San Francisco opera una flota de captura que llega hasta Australia y Nueva Zelanda. Hacia fines de siglo, cuando las poblaciones de ballenas de las latitudes templadas y tropicales comienzan a agotarse, se introducen mejoras tecnológicas (arpón explosivo) que permiten aumentar la eficiencia de captura en los mares fríos del sur.

Siglo XX. Se expande la actividad ballenera a las regiones antárticas (1904). La velocidad de los buques de captura permite perseguir a los grandes rorcuales en áreas costeras. El desarrollo de buques factoría (ca. 1925) facilita la captura en alta mar. El desarrollo de técnicas para producir margarina y jabón a partir del aceite de ballena conduce al aumento en la demanda de materia prima. Se intensifica la caza. Cuando se agotan algunas poblaciones se explotan otras, hasta capturarse incluso las ballenas de menor tamaño. Noruega e Inglaterra son las potencias balleneras del mundo durante la primera mitad del siglo. Japón se agrega en 1934 y domina la industria hasta el presente. La carne de ballena reemplaza en importancia económica al aceite. Se agotan los stocks de ballenas del mundo.

Historia de las regulaciones internacionales para la caza de ballenas

Antes de 1931. Durante más de cinco siglos la actividad ballenera con fines comerciales no se atiene a acuerdos internacionales. El límite de captura lo imponen la demanda y el desarrollo técnico. Se busca maximizar la producción de aceite y barbas, desestimándose el efecto de la actividad sobre las poblaciones animales.

1931. Los mercados se saturan con aceite de ballena. Cae el precio del producto y esto motiva un acuerdo que pone límites a la producción. En la Liga de las Naciones se origina la Convención Internacional para la Regulación de la Actividad Ballenera. Se propone el concepto de Unidad Ballena Azul (BWU) para regular la cantidad de aceite producido. Alemania y Japón no adhieren a la Convención.

1935. Entran en acción las medidas propuestas por la Liga de las Naciones. Los efectos positivos de estas medidas sobre el mercado contrastan con los resultados negativos para la conservación de las ballenas. La BWU favorece que se persiga a los rorcuales de mayor tamaño, independientemente de su estado de conservación.

1937. Se firma el Acuerdo Internacional para la Regulación de la Actividad Ballenera. Se protege a las ballenas francas, grises y jorobadas. Se prohíbe matar hembras con cría. Se crean los primeros santuarios para la protección de las ballenas. Japón sigue siendo un país opositor a las medidas conservacionistas.

Segunda Guerra Mundial. Las capturas en la Antártida no cesan pero disminuyen en intensidad.

1946-48. A partir de la firma de la Convención Internacional para la Regulación de la Actividad Ballenera por 14 países, incluida la Argentina, se crea la Comisión Ballenera Internacional (CBI). La CBI propone medidas de manejo del mercado para la conservación de stocks. Se acuerda una temporada y un tamaño mínimo de captura. Se protegen algunas áreas en la Antártida. No se da protección diferencial a las poblaciones o especies más castigadas de los grandes rorcuales.

1949. Tiene lugar la primera reunión de la CBI. Al derogarse algunas medidas de conservación se permite la captura de 1.250 ballenas jorobadas anuales.

1950-51. Operan en la Antártida 20 buques factoría que capturan 32.566 ballenas. No se sabe en qué medida los países signatarios respetan las decisiones de la CBI.

1961-62. La Unión Soviética captura ballenas protegidas en lugares prohibidos y declara cifras inventadas.

1965-67. Se protege a la ballena azul a nivel mundial. Se persigue a las ballenas de menor tamaño. Algunos países cazan especies protegidas por los tratados internacionales. Los balleneros soviéticos cazan, como mínimo, 300 ballenas francas boreales. La cifra equivale al total de la población mundial actual para la especie.

Década del 70. Se emplean barcos con banderas de ocasión para operaciones balleneras, disminuyendo el efecto de las medidas de protección propuestas por la CBI. En 1979 se declara al océano Índico (al norte de los 55° S) un santuario para ballenas.

1982. La CBI acuerda una moratoria global de cinco años para la caza de las ballenas puesta en vigor en la temporada ballenera 1985-86. Rusia, Noruega, Islandia y Japón, entre otros, se muestran disconformes frente a la medida.

1986. Japón se escuda en la caza con fines "científicos" para continuar con su actividad ballenera a pesar de la moratoria acordada en 1982. La Unión Soviética no se atiene a normas internacionales para cazar ballenas.

1992-3. El santuario de ballenas del océano Índico se convierte en permanente. En 1993, Noruega no se atiene a la moratoria y comienza la captura de ballenas minke en el Atlántico Norte. Francia propone la creación de un santuario circumpolar en el océano Austral.

1994. La CBI apoya la propuesta francesa de un santuario circumpolar austral para la protección de las ballenas. Japón y Noruega se oponen. Comienza a considerarse la actividad de avistaje de ballenas como una forma importante de aprovechamiento económico no letal de estos animales.

Acontecimientos relacionados con la caza de la ballena franca

Siglos XI - XIV. Uno de los primeros registros históricos de capturas de ballenas francas boreales corresponde a los vascos. La captura ocurre en el golfo de Vizcaya y se remonta a mediados del siglo XI. Posiblemente las capturas no superan los 100 animales por año. La caza adquiere mayor importancia a partir del año 1250.

Siglos XV - XVII. Las áreas de captura de la ballena franca boreal se expanden a todo el Atlántico Norte. Comienzan a capturarse ballenas de Groenlandia y otras especies. Entre los años 1250 y 1650 se llegó a la virtual aniquilación de la ballena franca en el hemisferio norte.

Siglo XVIII. A mediados de 1770, la actividad ballenera se expande al Atlántico Sur. Los balleneros persiguen ballenas francas australes en las costas del sur de África, Tristán da Cunha y Brasil. Hacia fines de siglo, comienza la explotación en el Pacífico Sur.

Siglo XIX. Apogeo de la actividad en el Atlántico Sur. Sólo en la década de 1830-39, se capturan más de 18.000 ballenas francas australes. Lo mismo sucede en el Pacífico, con más de 25.000 capturas en el período 1835-44. Se estima que entre 1820 y 1840 se habrían cazado más de 76.000 ballenas francas en el hemisferio sur, de las cuales 38.000 corresponden al Atlántico Sur.

Siglo XX. Se agotan los stocks mundiales de la ballena franca austral. En las islas Georgias del Sur se capturan 578 ballenas francas entre 1904 y 1921. Sólo se cazan 12 ballenas en el Atlántico Sur entre 1930-39. La Unión Soviética captura 1200 ballenas francas frente a las costas de la Patagonia en 1961-62. Brasil captura 350 ballenas francas entre 1950 y 1973. En 1975 cierra la última estación ballenera en Sudáfrica (Durban).

Ficha biológica de las ballenas francas australes

Peso del adulto (tn)	50 - 55
Largo del adulto (m)	12 - 16
Peso del ballenato al nacer (tn)	3
Largo del ballenato al nacer (m)	4,6 - 5,5
Crecimiento del ballenato (cm/día)	2 - 3
Largo a la madurez sexual (m)	13 - 16
Edad de maduración sexual	7 - 17 años
Longevidad	> 60 años
Gestación	10 - 12 meses
Fertilidad	1 cría cada 2 a 5 años
Duración de la lactancia	~14 meses
Población total actual	3.000 - 4.000
Población de la P. Valdés (1986)	1.200
Población mundial original estimada (anterior a la caza comercial)	80.000
Número de animales que visitan la P. Valdés anualmente (sin contar crías nacidas en la temporada)	~500 - 600
Número de crías nacidas durante 1995 en la P. Valdés	60 - 100
Número mínimo estimado de crías que mueren anualmente en la Península Valdés*	1991: 5
	1992: 5
	1993: 5
	1994: 9
	1995: 10
Crecimiento anual de la población en la P. Valdés	~7 %

Nota: Los datos de esta tabla son estimaciones basadas en estudios sobre la ballena franca austral y deben tomarse como tales.

*Los datos se basan en el registro de animales varados en las playas. Es posible que algunas ballenas muertas no lleguen a la costa o varen en lugares donde no son observadas.

Ficha turística

Número de turistas que realizan avistajes de ballenas por temporada	1990: 16.500 1991: 17.371 1992: 29.068 1993: 33.950 1994: 44.590 1995: 41.362
Salidas de embarcaciones desde Puerto Pirámide para avistar ballenas	1991: 1.442 1992: 2.209 1993: 1.706 1994: 2.774 1995: 2.539
Ingresos directos debido a los avistajes (considerando un costo de $ 20 por viaje) (1993)	~ $ 680.000
Ingresos anuales totales estimados en relación con los avistajes (1995)	~$ 10.000.000
Proporción de turistas argentinos de los turistas totales que visitan la Península Valdés para ver ballenas	90 %
Número de empresas dedicadas a efectuar avistajes por temporada	1990: 5 1991: 6 1992: 6 1993: 3 1994: 7 1995: 6
Número total de embarcaciones afectadas al avistaje	1994: 15 1995: 12

Agenda de las ballenas francas que visitan la Península Valdés

ENERO. Las ballenas se encuentran en las áreas de alimentación o están viajando hacia ellas.

FEBRERO. Plena temporada de alimentación. No se ven ballenas en la Península Valdés.*

MARZO. Algunos animales han comenzado su viaje hacia la Península Valdés. Entre ellos se encuentran hembras preñadas y madres con crías nacidas el año anterior y cercanas al destete.

ABRIL. Llegan las primeras ballenas a los golfos Nuevo y San José.

MAYO. Primeras pariciones. Durante las primeras semanas de vida del cachorro las madres permanecen cerca de la cría.

JUNIO. Siguen llegando ballenas. Algunas crías nacidas el año anterior se destetan.

JULIO. Continúan las pariciones y se observan apareamientos. Algunas crías nacidas en la temporada comienzan a moverse con más independencia y se alejan algunos metros de sus madres.

AGOSTO. Ya han nacido la mayoría de las crías de la temporada.

SEPTIEMBRE. Los ballenatos maduran rápidamente y se muestran activos y curiosos.

OCTUBRE. El número de ballenas llega a su pico (~400 animales). Ocurren las últimas pariciones.

NOVIEMBRE. El número de ballenas disminuye día a día. Es evidente el comienzo de la migración hacia las áreas de alimentación.

DICIEMBRE.* Se van las últimas madres con cría. Algunos animales ya se encuentran en los lugares de alimentación.

*Ocasionalmente algunos individuos permanecen, entre enero y abril, en aguas cercanas a la Península Valdés.

Lecturas sugeridas

Las publicaciones listadas resumen parte de la información disponible sobre ballenas francas del sur, especialmente para la región patagónica. En esta bibliografía se fundamentan algunos aspectos de la biología de la especie tratados en los capítulos del libro. Los interesados en profundizar su conocimiento encontrarán en estos artículos y libros una introducción hacia otras fuentes bibliográficas.

Bastida, R. 1987. La ballena franca austral: un recurso turístico peculiar. *Revista Patagónica* 6 (29):24-28

Bastida, R. & V. Lichtschein. 1981. *La Ballena Franca Austral.* Fauna Argentina. Centro Editor de América Latina. Nº 25.

Bastida, R. & V. Lichtschein. 1984. Informe preliminar sobre los estudios de la Ballena Franca Austral (*Eubalaena australis*) en la zona de la Península Valdés (Chubut, Argentina). *Revista del Museo Argentino de Ciencias Naturales,* Zoología, 23: 197-209.

Best, P. B. 1988. Right whales, *Eubalaena australis,* at Tristan da Cunha, South Atlantic Ocean. A clue to the non-recovery of depleted stocks. *Biological Conservation* 46 (1): 23-52.

Brownell, R. L. Jr., P. B. Best & J. H. Prescott (eds). 1986. Right Whales: Past and Present Status. *Reports of the International Whaling Commision* (Special Issue 10), Cambridge, 289 pp.

Clark, C. 1983. Acoustic communication and behavior of the Southern right whale (*Eubalaena australis*). *In:* R. Payne (ed) *Communication and Behavior of Whales.* AAAS Selected Symposium Nº 76, Boulder, Colorado 163-98.

Clark, C. & J. Clark. 1980. Sound playback experiments with southern right whales (*Eubalaena australis*). *Science* 207: 663-5.

Cummings, W. C. 1985. Right whales *Eubalaena glacialis* and *Eubalaena australis. En:* Ridgway, S. H. & R. Harrison (ed.): *Handbook of Marine Mammals Vol. 3. The Sirenians and Baleen Whales,* p. 275-304. Academic Press.

Cummings, W. C., J. F. Fish & P. O. Thompson. 1971. Bioacustics of marine mammals off Argentina: R/V *Hero* Cruise 71-3. *Antarctic Journal of the United States* VI, 6: 266-268.

Garciarena, D. 1988. The effects of whalewatching on right whales in Argentina. *Whalewatcher,* Fall 1988: 3-8.

Gilmore, R. M. 1969. Population, distribution, and behavior of whales in the Western South Atlantic: Cruise 69-3 of R/V Hero. *Antarctic Journal of the U.S.,* IV (6): 307-308.

Harris, G. & C. García. 1986. *La Ballena Franca Austral.* Editorial Golfo Nuevo. 84 pp.

Harris, G. & C. García. 1990. Ballenas francas australes. El lento camino de la recuperación. *Ciencia Hoy* 2 (7): 36-43.

Lawrence, D.H.1982. *Poemas escogidos.* Visor, Madrid. 126 pp.

Lichter, A. 1992. *Huellas en la Arena, Sombras en el Mar. Los Mamíferos Marinos de la Argentina y la Antártida.* Ediciones Terra Nova, Buenos Aires. 288 pp.

Moreno, F. 1989. *Viaje a la Patagonia Austral.* Editorial Solar, Buenos Aires (segunda reimpresión).

Payne, R. 1972. Swimming with Patagonia's right whales. *National Geographic* 142: 567-87.

Payne, R. 1976. At home with right whales. *National Geographic* 149:322-339.

Payne, R. 1986. Long term behavioural studies of the southern right whale (*Eubalaena australis*). *Rep. int. Whal. Commn.* (Special Issue 10): 161-67.

Payne, R. 1995. *Among Whales.* New York. C. Scribner's Sons. 431 pp.

Payne, R. & E. M. Dorsey. 1983. Sexual dimorphism and aggressive use of callosities in right whales (*Eubalaena australis*). *En: Communication and Behavior of Whales* (Ed. by R. Payne). AAAS Selected Symposia Series. Boulder, Colorado: Westview Press, 295-329.

Payne, R., O. Brazier, E. Dorsey, J. Perkins, V. Rowntree & A. Titus. 1983. External features of southern right whales (*Eubalaena australis*) and their use in identifying individuals. *En: Communication and Behavior of Whales* (Ed. by R. Payne). AAAS Selected Symposia Series. Boulder, Colorado: Westview Press, p. 371-445.

Payne, R. & V. J. Rowntree. 1984. *Southern Right Whales, a photographic catalogue of individual whales seen in the waters surrounding Península Valdés, Argentina.* Fundación Alfredo Fortabat, Buenos Aires, Argentina.

Payne, R., V. Rowntree, J. S. Perkins, J. G. Cooke & K. Lankester. 1990. Population size, trends and reproductive parameters of right whales (*Eubalaena australis*) off Península Valdés. *Rep. Int. Whal. Commn.* (Special Issue 12): 271-78.

Payne, R. 1994. Among whales. *Natural History,* January Issue: 40-46.

Taber, S. & P. Thomas. 1982. Calf development and mother-calf spatial relationship in Southern right whales. *Animal Behaviour* 30: 1072-83.

Thomas, P. O. 1988. Kelp gulls, *Larus dominicanus,* are parasites on flesh of the right whale, *Eubalaena australis. Ethology* 79(2): 89-103.

Thomas, P. & S. Taber. 1984. Mother-infant interaction and behaviour in Southern right whales, *Eubalaena australis. Behaviour* 88: 41-60.

Whitehead, H., R. Payne & M. Payne. 1986. Population estimate for the right whales off Península Valdés, Argentina, 1971-76. *Rep. Int. Whal. Commn.* (Special Issue 10): 169-71.

Yablokov, A. V. 1994. Validity of whaling data. *Nature* 367: 108.

Fotografías e Ilustraciones

Flip Nicklin / Minden Pictures: foto tapa y contratapa, págs. 8, 24, 40, 42, 44, 48, 62, 66, 69, 83, 105 (de der. a izq. R. Payne, G. Alvarez Colombo, J. Darling), 106, 112, 114, 126, 145.
Guillermo Harris (Fundación Fortabat - Wildlife Conservation Society): págs. 16, 30, 33, 72, 78, 80, 88, 98, 108 (ballenas junto a un lobo marino), 121, 133, 136, 140/141, 146.
Roger Payne: págs. 18 (ballena albina), 39, 47, 54 (grupo apareándose), 56/57, 75, 130 (soga enredada en la boca de una ballena).
Iain Kerr: págs. 1, 2/3, 118, 128/129, 142.
Francisco Pontoriero: págs. 36, 61, 92.
Jorge Outumuro: págs. 27, 29, 59.
Jeff Foott: pág. 50 (orca atacando lobos marinos).
Valeria Falabella: pág. 12.
Irene Campagna: pág. 13.
Iain Garbarino: pág. 77.
Alejandro Arias: pág. 100 (ballenas frente al Campamento 39).
Carlos Passera: pág. 110 (ballena y elefantes marinos).
John Atkinson: pág. 122.

Agradecimientos

Mónica Borobia, a través del Programa de las Naciones Unidas para el Medio Ambiente (PNUMA), facilitó que se iniciara este proyecto. Guillermo Harris aportó sus opiniones, ilustraciones y fotografías, y compartió con nosotros 20 años de pensamiento sobre la conservación de las ballenas francas. William Conway nos ayudó a encontrar nuestra misión en la conservación. Roger Payne nos ofreció inspiración, opiniones y fotos. Flip Nicklin, y su representante Larry Minden, fueron especialmente generosos con su material fotográfico. También Francisco Pontoriero, Jeff Foott, Alejandro Arias, Carlos Passera, Iain Kerr, Valeria Falabella, Vicky Rowntree, Jorge Outumuro, Irene Campagna, Iain Garbarino y John Atkinson colaboraron con fotografías e ilustraciones.

María Belén Becerril, Claudio Bisioli, Hugo Castello, Rodolfo Casamiquela, Alfredo Lichter (padre) y Teodosio Brea leyeron los sucesivos manuscritos. A todos nuestro agradecimiento.

Un recuerdo especial para Manolo por nunca haber renunciado, particularmente en esta etapa difícil de su vida, a su infatigable permanencia en los empeños por estudiar a las ballenas francas y a su convicción por conservarlas.

Finalmente a nuestras familias que con entusiasmo, y a veces también con resignación, comparten y comprenden nuestro trabajo.